VOIES IDÉOLOGIQUES
DE LA
RÉVOLUTION FRANÇAISE

PROBLEMES/HISTOIRE
Directeur : François Hincker

PROBLÈMES/HISTOIRE

ÉLISABETH GUIBERT

VOIES IDÉOLOGIQUES
DE LA
RÉVOLUTION FRANÇAISE

A Remo Preti (1901-1966)

Préface d'Yvon BELAVAL

ÉDITIONS SOCIALES

146, rue du Fg-Poissonnière, 75010 Paris
Service de vente : 24, rue Racine, 75006 Paris

La loi du 11 mars 1957 n'autorisant, aux termes des alinéas 2 et 3 de l'Article 41, d'une part, que les *copies ou reproductions strictement réservées à l'usage privé du copiste et non destinées à une utilisation collective*, et, d'autre part, que les analyses et les courtes citations dans un but d'exemple et d'illustration, *toute représentation ou reproduction intégrale ou partielle, faite sans le consentement de l'auteur ou de ses ayants droit ou ayants cause, est illicite* (alinéa 1er de l'Article 40).
Cette représentation ou reproduction, par quelque procédé que ce soit, constituerait donc une contrefaçon sanctionnée par les Articles 425 et suivants du Code pénal.

Tous droits de reproduction, de traduction et d'adaptation réservés pour tous les pays.

© 1976, *Editions sociales*, Paris.

PRÉFACE

On pourrait contester qu'Elisabeth Guibert suive une voie vraiment philosophique : en la renvoyant à l'Histoire à laquelle elle veut apporter sa contribution; en définissant la philosophie avec Lalande (ou le Lalande); en excluant de la philosophie le marxisme dont elle se réclame.

Elle essaie de s'en expliquer. L'originalité de sa recherche par rapport à l'Histoire, à une certaine conception de la philosophie et même du marxisme, lui rend l'explication moins facile qu'à un artisan qui n'est ni historien, ni convaincu que la philosophie échappe à sa propre histoire, ni marxiste.

D'abord, l'idée d'appropriation, fût-elle historisée en « idéal bourgeois d'appropriation à la veille de la Révolution française », constitue un des thèmes fondamentaux de la philosophie, de quelque façon qu'on l'entende. Elle touche à la propriété et, par conséquent, en termes kantiens, au sujet et à son histoire. Quoi ? la propriété serait une question philosophique lorsque Rousseau en parle (après combien d'autres !), et elle cesserait de l'être quand le marxisme met en cause *notre* propriété ? Voilà bien un choix politique. Mais alors, y a-t-il un côté où le politique demeure, comme il l'a toujours été, philosophique, et un autre côté où il cesse de l'être ? L'ambiguïté saute aux yeux. D'une part, la philosophie est essentiellement théorique parce qu'elle ne réfléchit, ne pense qu'après coup et ne déploie ses ailes, avec l'oiseau de Minerve, qu'à la tombée du jour, la tâche faite; d'autre part, la philosophie à la tâche, en acte, actuelle. Elisabeth Guibert s'engage à la fois dans une réflexion sur le passé — l'Histoire — et dans l'action sur le présent en devenir. En porte à faux ? Courant le double risque de paraître trop philosophe à l'historien et trop politique au philosophe selon Lalande (ou le Lalande).

L'appropriation n'a pourtant été que l'idée occasionnelle de ce travail. Son vrai propos est l'idéologie. Ici s'annoncent les difficultés. Qu'est-ce que l'idéologie ? Le mot a une double histoire : la première, à partir de l'*Idea* lockienne, dans la lignée de Condillac et d'Helvétius, aboutit à l'idéologie française qui vise à perfectionner la pensée en donnant pour modèle au langage la langue des calculs, ou qui cherche, par ses analyses et ses observations, à suivre la genèse psycho-physiologique et physio-psychologique de l'idée (elle fonde la Salpêtrière); la deuxième débute avec *L'Idéologie allemande,* dans l'opposition polémique du « réel », du « concret », au monde d'abstractions (d'*idées*) des philosophes. En toute polémique, le discours se veut théorique et pratique. Le terme d'idéologie devient descriptif et normatif à la fois. D'entrée, il dénonce une prétention à combattre, une illusion à dissiper, un faux savoir faisant obstacle à la science. Quel est l'être de ce moindre être ? Les réponses vont varier. L'être de l'abstraction ? Pour « irréelle » qu'on la veuille, l'abstraction n'est pas nécessairement fausse, elle peut traiter le « réel » scientifiquement. La polémique exige davantage. L'idéologie sera-t-elle au réel ce que la conscience-épiphénomène serait à l'activité nerveuse ? Non ! La dialectique matérialiste ne saurait s'en tenir à ce causalisme scientiste, d'ailleurs ruineux pour la causalité, puisque la conscience-effet n'y serait à son tour cause de rien; de plus, il n'y a aucune ressemblance entre une activité nerveuse et une conscience, et l'illusion doit, en quelque manière, ressembler à la réalité, car une perception fausse est encore une perception.

Alors on pense à un reflet. L'idéologie est un reflet des conditions économiques. Elle a la ressemblance et l'irréalité d'une image dans un miroir. Mais la métaphore expose au reproche adressé à l'épiphénoménisme : comment même un moindre être perdrait-il à ce point toute autonomie, tout dynamisme d'être ? Mieux vaut donc s'inspirer de la psychanalyse qui échappe au causalisme scientiste par la motivation et la compréhension, ne coupe pas en deux la conscience mais la dialectise — ou, du moins, est capable de la dialectiser —, l'unit à ses abysses par le langage, et fait du conscient une abstraction concrète, légitime, c'est-à-dire le moment d'une totalité et non un fragment séparé. On peut encore... pourquoi poursuivre ? Il fallait seulement montrer que l'idéologie fait problème.

L'originalité *philosophique* d'Elisabeth Guibert est de vouloir que l'idéologie ait sa réalité propre, autonome, dynamique, productrice en re-produisant ses déterminations matérielles auxquelles elle imprime un développement, un sens et même une histoire. Pas un reflet ! Une activité qui montre, par exemple, comment la bourgeoisie et le peuple français, d'intérêts si contraires, ont agi en commun contre le féodalisme. Un développement non lié aux dates de ses déterminations matérielles d'origine : la domination des intérêts bourgeois dans l'exercice du pouvoir et des institutions a prévalu bien au-delà de la Révolution. Un sens, entendez : une orientation de ce développement, soustrait ainsi à l'absurdité du hasard, et une intelligibilité (dialectique). Enfin, même une histoire, puisqu'il est possible de faire le récit, expliqué et commenté, d'une idéologie, depuis sa naissance jusqu'à son effacement.

Cette histoire, selon Elisabeth Guibert, ne peut se dégager que de l'histoire générale. Il n'y a d'ailleurs pour elle « qu'une Histoire, univoque dans son déroulement... ». Ce n'est que dans et par l'étude de l'Histoire, dont on retient le type de scientificité, qu'une idéologie peut scientifiquement apparaître. On voit la complexité du problème : dégager de l'Histoire, unique et univoque, en se gardant de toute mauvaise abstraction, l'histoire singulière et, par conséquent — autrement, ce serait la mauvaise abstraction — autonome, d'une idéologie; montrer dans le réel, sans le détacher du réel, un morceau de réel; concilier la fonction idéologisante de l'Histoire avec la fonction historique de l'idéologie; individuer la dynamique universelle dans la dynamique propre au mobile — ou motif — d'une idéologie; être sérieusement historienne dans l'enquête pour ne plus l'être dans la conclusion, mais philosophe. Soucieuse de la difficulté de l'entreprise, la philosophe se réclamera, avec prudence, de Spinoza : l'ordre et la connexion des idées sont les mêmes que l'ordre et la connexion des choses (ou des causes). Traduisons : l'ordre et la connexion des conditions économiques sont les mêmes que l'ordre et la connexion des idéologies. Mais l'individuation ? Et ce philosophe travaille sur l'Histoire : il en retient, nous l'avons dit, la scientificité; il en élargit la méthode jusqu'à l'explication *philosophique* des textes témoins de leur temps (Sedaine, Turgot, Sade); elle lui est indispensable par le thème — l'idéologie — qu'il a choisi d'étudier, et parce que, jamais, la philosophie, qui est une manière spéciale de penser, n'a tiré d'elle seule, mais toujours d'une autre discipline, l'objet de sa pensée.

Par l'originalité même de son propos, Elisabeth Guibert se heurte à un embarras du langage. H. Poincaré se défiait des substantifs dont on fait des substances : *chaleur ?* eh bien non; la chaleur ne se conserve pas; *électricité ?* eh bien oui; par une chance imméritée, l'électricité se conserve. Continuons. Nous employons les substantifs *Philosophie, Histoire,* etc., comme s'il s'agissait d'entités immuables. Le mot subsiste; son signifié a changé. Lorsque Leibniz écrit, en 1669, à son maître Jakob Thomasius : « Tu non

Philosophorum, sed philosophiae historiam dabis », il
sent bien que la doxographie se transforme en histoire
de la philosophie. Cette histoire, au XVIIIᵉ siècle, va se
constituer — avec Brucker, surtout — par la réflexion
externe de l'érudit, en curiosité et leçon exemplaire
pour le philosophe. Un pas de plus : avec Hegel elle
s'intériorise, devient la philosophie elle-même. Et ainsi
de suite. Ni la philosophie ni son histoire ne demeurent
les mêmes. Comment employer les mots *philosophie* et
histoire dans le cours de leur changement ? Platon a
buté sur l'obstacle. Elisabeth Guibert ne prétend en rien
demeurer un philosophe selon la définition du Lalande.
Elle est en route. Elle n'ignore pas non plus, bien
qu'elle le ressente moins vivement à cause des modèles
qu'elle a sous les yeux, que l'histoire progresse. En
définitive, elle doit avouer que, entre l'histoire générale
et la philosophie, « l'Histoire des idéologies cherche
encore sa voie propre ». Il est, en effet, plus facile de
situer l'immobile que le mobile.

On peut transcrire son problème. C'est un problème
quotidien. Si la philosophie commence avec l'étonne-
ment, qui n'étonnerait le contraste, de plus en plus
saisissant, de notre temps avec le XVIIIᵉ siècle ? Il semble
que l'on ait alors cru à la lumière naturelle pour guider
le progrès dans l'ordre, la justice et l'accroissement du
bonheur. Le despote feignait parfois de consulter le
philosophe. Quel démenti ! Dans notre planète au
pillage, qu'il s'agisse d'explosion démographique ou
nucléaire, d'armements, de génocides, de tortures, de
la vanité des principes (par exemple, le droit des peu-
ples à disposer d'eux-mêmes) confrontés à la réalité des
actes, de l'appétit de la puissance et de l'argent à satisfaire sans attendre, aveuglément, quelles qu'en soient les
conséquences, de l'autodestruction des cultures, etc.,
rien qui ne proclame la mort du XVIIIᵉ siècle. Aucune
volonté, bonne ou mauvaise, ne paraît avoir prise sur
cette nécessité comparable au cours naturel de la crois-

sance, du vieillissement et de la mort, plus qu'à un mouvement logique; ou alors, devant cette raison qui ne connaît pas ses raisons, que valent nos pauvres lumières ? quel bon sens ne se trouve pas insensé ? comment s'apaiser par quelque théorie providentielle d'une ruse de la raison ? Ainsi, dans le scandale quotidien, s'ébauche la philosophie. Mais peut-être faut-il dire que la science, en se rendant maître et possesseur de la nature, a développé un surrationalisme qui déconcerte la raison du XVIIIᵉ siècle; que les recherches sur l'inconscient, en décentrant la conscience, l'urbanisation machiniste, en laissant mourir les villages, la politique planétaire, en substituant au dialogue les calculs des ordinateurs, ont déplacé tous les repères sur lesquels l'homme réglait sa marche et se définissait. Le raisonnable a cessé d'être à l'échelle du rationnel. Au temps d'Aristote, le bon sens suffisait pour comprendre, en sa vérité, l'essentiel de la Cité; ses croyances sur la vertu, le droit, l'esclavage, la gérance des biens familiaux, et le reste, avaient un conditionnement économique, mais l'écart entre l'inaperçu et l'aperçu dans ce conditionnement était trop faible pour que savoir et apparence — ce que nous appellerions idéologie — n'aient pas, à peu de chose près, le même contenu. Aujourd'hui l'écart est énorme. L'apparence devient aveugle. Le savoir ne s'obtient qu'au prix d'analyses qui dépassent les capacités d'un homme seul. L'idéologie soulève de nouveaux problèmes philosophiques. Ceux qu'entreprend d'étudier, dans un autre contexte, Elisabeth Guibert. Pour les résoudre, il faut acquérir le savoir par lequel l'apparence se détermine en sa réalité, et ce savoir doit s'acquérir dans le domaine de l'Histoire. Loin de se rebuter devant l'effort, Elisabeth Guibert étend le champ de son enquête : le présent livre, prévient-elle, n'en est que « le premier volet ». On ne peut que l'encourager.

Yvon BELAVAL.

INTRODUCTION

> « Une nouvelle distribution des richesses
> prépare une nouvelle distribution du pouvoir. »
> BARNAVE : *Introduction à la Révolution fran-
> çaise*, chap. III.

La bourgeoisie et le peuple français ont fait ensemble
la Révolution. Avec des mobiles différents, mais avec
un intérêt commun. Chacun d'eux a trouvé, dans la
lutte antiféodale des aliments propres à nourrir qui son
ambition, qui son ardeur désespérée. L'une, comme
l'autre, a su formuler en des termes à lui spécifiques,
les espoirs et les raisons de son combat. Mais ce combat
était le même, contre l'ennemi commun, le système féodal de l'Ancien Régime.

Une série de questions se pose alors pour pouvoir
rendre compte de cette convergence d'intérêts différents, voire contradictoires, dans un même élan révolutionnaire; pour pouvoir aussi comprendre la domination idéologique de la bourgeoisie, donc de certains de
ces intérêts, au sein de cette unité. Car font problème,
d'une part la convergence des intérêts antagonistes et,
d'autre part, la domination les uns sur les autres d'intérêts convergents. Ces rapports de convergence et de
domination, pour être simultanés, ne s'en élaborent pas
moins à des niveaux distincts.

Si ce sont en effet des intérêts économiques quasi
antagonistes, qui instaureront entre bourgeoisie et peuple
des rapports de domination politique, ce sont au

contraire des visées politiques communes qui uniront contre l'adversaire féodal les efforts des deux classes. L'idéologie révolutionnaire alimentera ces visées, en même temps qu'elle développera ces antagonismes. Elle ne niera ces derniers que pour les résoudre, en assurant, dans la communauté de l'antiféodalisme, la domination d'une fin bourgeoise spécifique, en donnant à l'antiféodalisme tout entier un idéal bourgeois.

Les questions à se poser sur ces rapports complexes doivent tendre à éclaircir le rôle qu'y joue l'idéologie, et ce qu'est l'idéologie elle-même. Car les thèmes, les références, les projets de la Révolution sont autant de mises en œuvre d'une nécessité historique, complexe autant qu'univoque, celle de la prise du pouvoir par le capital marchand, et de la destruction du féodalisme. L'idéologie révolutionnaire contient tous les antagonismes qui soutiennent cette nécessité unique; elle seule endigue les effets de leur dynamisme, et les canalise en un courant antiféodal unitaire. L'idéologie est le lieu où se joue l'unité de la lutte contre le féodalisme; car cette lutte, sans cesse écartelée entre ses déterminations les plus contraires, ne trouve à être homogène que dans le travail inlassable de l'idéologie, qui soutient, par un réel effort, la nécessité d'une action commune contre le féodalisme.

> « Les Français ont fait en 1789 le plus grand effort auquel se soit jamais livré aucun peuple, afin de [...] séparer par un abîme ce qu'ils avaient été jusque-là de ce qu'ils voulaient être désormais », écrit Tocqueville [1].

Et la ténacité qu'ils ont mise à vouloir ce changement n'a d'égale que celle avec laquelle ils ont voulu conjuguer de tels efforts.

---

1. Alexis de TOCQUEVILLE : *L'Ancien Régime et la Révolution,* 1856, Avant-propos.

> « Ils se sont imposé toutes sortes de contraintes
> pour se façonner autrement que leurs pères; ils
> n'ont rien oublié enfin pour se rendre méconnais-
> sables [1]. »

Quels mots diront mieux que ceux-là l'importance du
travail de l'idéologie, modelant aux dimensions de la
Révolution bourgeoise l'immense variété des consciences
antiféodales ?

C'est envisager ici que l'idéologie a un dynamisme
propre, et qu'elle n'est pas pur reflet d'un état de choses
infrastructurel, dont elle renverrait la statique image.
L'idéologie reproduit des déterminations matérielles;
elle leur donne un développement, un sens, une expression, et même une histoire, spécifiques; ces dernières
viennent en quelque sorte redoubler le développement,
le sens, l'expression et l'histoire des contradictions les
plus profondes au sein des modes de production. Redoublement qu'il faudrait concevoir non comme une série
parallèle à ces premières déterminations, mais bien
comme une reproduction dynamique, animée par la
même causalité que son modèle. A ce titre, il nous
semble qu'il faudrait penser cette conjonction du processus idéologique avec la nécessité économique et
sociale, sur le mode de la conjonction établie par Spinoza entre l'ordre et la connexion des idées, et l'ordre
et la connexion des choses, ou mieux, des causes [2].
Loin de nous l'intention de vouloir assimiler les *ideae*
ici entendues par Spinoza à l'idéologie; il n'en reste pas
moins que les rapports de cette dernière avec ses déterminations socio-économiques nécessaires se peuvent
énoncer dans les termes mêmes qu'applique le spino-
zisme aux rapports de ces *ideae* avec les *res* causales.
Nous retrouvons cette univocité dans les rapports qui

---

1. TOCQUEVILLE, *op. cit.*
2. SPINOZA : *Ethique*, II, 7 et scolie.

relient l'histoire des idéologies au discours général des historiens. La démarche qui, fût-ce dans une perspective rigoureusement historique, prend pour objet les idéologies ne se confond pas avec celle qui porte sur une période donnée, afin d'en faire l'histoire. Même s'il ne privilégie que certains aspects de la période en question, à la faveur d'un découpage soit local, soit social (*Etudes orléanaises* de Georges Lefebvre, ou *Les Sans-Culottes* d'Albert Soboul), le discours de l'historien prend ses objets comme partie intégrante d'une période déterminée qu'il est chargé de reconstituer, dans son ordre et sa connexion spécifiques. Quant au discours qui, comme le nôtre, prend l'idéologie pour objet, il ne peut bien sûr l'envisager qu'à travers ses implications historiques; mais c'est sur le statut de cette idéologie dans ces implications qu'il s'interroge.

Dans sa tentative de reconnaître les limites et la nature du champ propre à l'idéologie, notre démarche prend pied dans l'Histoire, et livre ses conclusions aux historiens, auxquels elle a emprunté prémisses méthodologiques et éléments de lecture. Ainsi n'avons-nous pu déterminer un idéal spécifique d'appropriation capitaliste, qu'après avoir appris de l'histoire révolutionnaire contemporaine ce que représentaient pour la bourgeoisie une libération et une ouverture du capital marchand. Et nous n'avons jamais perdu de vue les données scientifiques établies sur ces sujets par les grands historiens. Car l'histoire des idéologies, ou plutôt la réflexion historique sur les idéologies, ne pourra jamais atteindre une quelconque scientificité, si elle ne commence pas par s'imprégner de celle que possède, depuis un certain temps déjà, son aînée, l'histoire.

Notre démarche doit justement prendre appui sur ce discours des historiens, qui lui fournit, comme dans la polyphonie naissante, sa teneur. Mais elle doit aussi organiser, au sens propre, sa voix en une série de motifs complexes, qui tous retravaillent les données de base du discours historique. Comme la *vox organalis* des premiers chœurs polyphoniques, la réflexion historique sur les idéologies doit tout à la fois se démarquer et s'aider de l'histoire sociale, qui la soutient fermement, mais d'une voix sourde. Nous en sommes encore aux débuts de cette démarche, et l'histoire des idéologies cherche encore sa voix propre, tentée qu'elle est de trop parler celle de l'histoire générale, ou bien celle de la philosophie. Et ces deux tentations nous ont constamment été vives : celle de plaquer chaque thème de l'idéologie révolutionnaire sur la réalité socio-économique lui correspondant; et celle de s'installer dans ces thèmes, en les glosant pour eux-mêmes, en perdant aussi dans la logique de leur déroulement interne le sens de leur profonde historicité. De même qu'à l'aube du XIIIe siècle les premiers polyphonistes avaient grand-peine à libérer de la teneur les voix organales, et retrouvaient avec soulagement des couplets d'unisson grégorien; de même, l'histoire des idéologies éprouve, faute de moyens, une certaine peur du vide, qui l'incite, après quelques audaces, à réintégrer précipitamment le giron de l'histoire sociale : elle se confond alors avec sa plus proche parente au sein de cette histoire, l'histoire des mentalités.

Mais, bien que nos conclusions recouvrent bien souvent celles des historiens des mentalités, et doivent peut-être leur être inféodées, nous n'avons pas le même projet que ces historiens. Eux visent à rechercher la cohérence d'une période historique donnée, jusque dans ses implications idéologiques les plus ténues. Nous, nous poursuivons au contraire la détermination de ce que l'idéologie a de spécifique par rapport à l'Histoire, en recherchant, jusque dans ses implications historiques les plus radicales, les éléments et les moyens de sa cohérence interne. Comment les idéologies peuvent-elles remplir leur fonction historique, de telle sorte que les historiens puissent se pencher sur elles pour retrouver, qui dans les cultures, qui dans les mentalités, les besoins et les pressions de la société à une époque donnée — telle est notre question fondamentale. Et cette question devra déboucher un jour sur l'approfondissement d'une « théorie rattachant les mentalités et les idées aux besoins et aux pressions de la société », comme l'écrit Albert Soboul [1]. Cette théorie, nous en possédons certes l'orientation générale avec la science marxiste de l'Histoire; reste à en découvrir les niveaux précis de fonctionnement, et à en mesurer la portée exacte au travers d'une réflexion qui, si elle n'est pas proprement « historienne », n'en reste pas moins profondément historique.

Pour toutes ces raisons qui, provisoirement du moins, différencient notre démarche de celle des historiens, fussent-ils historiens des mentalités, nous avons pu nous tourner vers une méthode qui n'est pas la leur. L'explication de texte philosophique traditionnelle a bien souvent constitué pour nous un moyen d'échapper au vertige que nous causaient la relative nouveauté et, surtout, l'insécurité méthodologique de notre démarche. Lorsqu'elle perdait de vue la trame des déterminations historiques de l'idéologie révolutionnaire, elle a tenté de retrouver dans la logique interne de tel ou tel thème cette cohérence qui le réinsérait dans son contexte spécifique. Un exemple de cela : le thème de la distribution des richesses a été analysé par nous dans ses implications théoriques les plus profondes, celles qu'il revêt dans la pensée de Turgot; pour entrer dans la cohérence interne de ce thème, par l'examen attentif de cette théorie économique, il nous a fallu nous démarquer du contexte quasi événementiel dans lequel nous avions d'abord repéré le thème de la distribution des richesses, à savoir l'effervescence des premiers décrets

---

1. Soboul : *La Civilisation et la Révolution française*, tome I, Introduction, Arthaud, 1970, p. 40.

de la Constituante sur les biens du clergé, et, plus généralement, l'engorgement insupportable du capital marchand à la fin de l'Ancien Régime. C'est seulement au
terme d'une analyse systématique de la distribution des
richesses chez Turgot que nous avons pu, à la faveur
du rôle politique de ce dernier, réinscrire le thème dans
le courant idéologique où il trouvait sa finalité et son
impact historiques.

Nous avons tenté de considérer l'Histoire non comme
le font les philosophes, mais avec des instruments de
philosophe; nous avons voulu, tout en prenant l'idéologie antiféodale comme un objet proprement historique,
comprendre sa portée, sa cohésion, ses contradictions,
ainsi que nous le ferions d'une doctrine. Non point que
nous prétendions assimiler quant à leur contenu un
courant idéologique et une doctrine; mais nous pouvons,
semble-t-il, appréhender sur le même mode un courant
comme l'antiféodalisme, circonscrit aux limites spatio-
temporelles précises de la crise de l'Ancien Régime, et
une doctrine comme en détermine l'histoire de la philosophie, stoïcisme ou cartésianisme, dont elle va rechercher les implications à travers tout un réseau diffus,
morcelé par l'Histoire. Dans cette approche, nous avons
voulu éprouver si l'histoire et la philosophie, conjointes,
nous permettraient de penser l'idéologie comme un objet
et comme un tout cohérents.

Si l'historien applique directement sa méthode générale à l'idéologie, il doit faire d'elle un élément parmi
tant d'autres de la réalité historique d'une période
donnée : ainsi, dans le livre d'Albert Soboul sur la
crise de l'Ancien Régime [1], les mentalités et les cultures ne sont pas traitées pour la spécificité de leur
impact idéologique, mais comme parties intégrantes
d'un ensemble historique, d'une structure dont l'auteur

---

1. Premier tome, seul paru à ce jour, de l'ouvrage cité à
la note précédente.

cherche à démonter tous les mécanismes : la formation économique et sociale d'Ancien Régime. Cultures et mentalités s'articulent à cet ensemble, de différentes manières; ce sont ces modalités que l'auteur met respectivement en lumière tout au long de ses chapitres. Mais pour lui, il s'agit de brosser un tableau général de la société française dans la crise de l'Ancien Régime, et d'y « clarifier les rapports entre l'économique, le social, le politique 1 », à tous les niveaux de la formation pré-révolutionnaire. Albert Soboul se donne donc pour plan la trame même de cet ensemble historique, à savoir les rapports des quatre grandes catégories sociales dont les antagonismes déterminent le processus révolutionnaire tout entier : quatre parties, donc, à ce premier tome, une sur « la terre et les paysans », une sur « l'aristocratie », une sur « bourgeois et bourgeoisie », une enfin sur « le quatrième état »; chaque partie contient, pour chaque classe, une mise en rapport pertinente des structures mentales et idéologiques avec les conditions socio-économiques qui font la spécificité de cette classe.

Ici, donc, l'historien semble tirer la leçon du vaste bouillonnement d'événements et d'idées qu'a constitué, jour après jour, la crise de l'Ancien Régime; il a reconstitué en un tableau éloquent la réalité de la société française à la veille de la Révolution. Histoire *totale* que ce travail, car il a su renouer un à un les fils enchevêtrés du réel à une trame claire et distincte, celle de la lutte de classe au sein des « quatre états ».

Mais c'est aussi de cette histoire que nous nous démarquons ici : nous avons voulu renouer nos fils non pas directement à la trame principale que s'est donnée pour plan Albert Soboul, mais à une trame secondaire, celle de l'idéologie révolutionnaire, qui colore d'anti-

---

1. SOBOUL, *op. cit.*, Introduction, p. 40.

féodalisme tous les fils qui s'y rattachent, dans quelque direction qu'ils soient tirés. C'est-à-dire qu'au lieu d'examiner à chaque fois les implications idéologiques de telle ou telle situation de classe, comme le fait méthodiquement l'historien, nous prenons pour objet exclusif ce qu'ont d'idéologique ces implications, et la logique propre à ce niveau de la réalité révolutionnaire. Logique interne à l'idéologie, mais ne prétendant nullement la qualifier isolément des conditions concrètes où elle s'enracine, la détermination que nous voulons faire de cette idéologie vise au contraire à comprendre sa spécificité par rapport à ces conditions. Le spécifique ne prend ici tout son sens que dans la différence et dans la parenté qu'il entretient avec le général. Comment l'idéologie peut-elle, à sa manière, reproduire les conditions structurelles de la crise pré-révolutionnaire, quels moyens propres met-elle en œuvre pour orienter, comme l'une de ses composantes fondamentales, le mouvement révolutionnaire ? C'est bien ce que nous nous demandons pour notre part.

Que signifie le choix d'un tel point de vue ? Ce qu'il ne signifie pas, d'abord, c'est que nous voulions privilégier un aspect de la réalité historique globale, et prétendre chercher le sens de la Révolution française dans les hautes sphères de l'esprit, plutôt que dans les affrontements les plus matériels, que ponctue l'événement. D'ailleurs, nous avons cessé de croire qu'il y ait des réalités plus matérielles que d'autres, les premières moins signifiantes, les secondes plus réelles. Encore moins croyons-nous qu'il y ait deux types d'histoire, privilégiant qui les unes, qui les autres, histoire chronologique bassement terre à terre d'un côté, histoire des idées de l'autre. Au reste, l'histoire des idées, ou la discipline qui se baptise de la sorte, est si souvent éloignée, et a même une telle horreur de l'Histoire (pensons notamment aux travaux remarquables de M. Gueroult), que nous aurions mauvaise grâce à nous vouloir prévaloir de son autorité pour dénigrer « l'autre » histoire. Ce ne sont donc pas de vieux relents d'idéalisme qui nous font nous démarquer du travail des historiens, ou préférer les idées aux causes. C'est un double souci, de modestie d'abord (car ils en savent bien plus que nous sur la Révolution française), et ensuite, de renouvellement des projets et des méthodes en matière de recherche marxiste.

Il n'y a qu'une Histoire, univoque dans son déroulement : il n'y a donc qu'un sens historique, et qu'un domaine d'investigation pour l'historien; ce dernier peut fractionner des domaines, mais sans jamais en perdre de vue l'unicité, ni le sens général. L'historien est celui qui a les moyens de reconstituer cette univocité dans un discours unique, et de rendre raison d'un sens historique donné, à travers l'exploration des modalités innombrables de son remplissement. Et à ce titre, le discours de l'historien est irremplaçable, en même temps que toujours nécessaire la mise au point qu'il constitue. Ainsi, bien des philosophes, littéraires, linguistes, spécialistes de cent disciplines ou techniques, ont pu établir dans leur domaine des analyses, voire des conclusions tout à fait fondamentales pour la compréhension de cette crise de l'Ancien Régime. L'historien ne peut les méconnaître, et, de plus en plus avec les progrès de l'interdisciplinarité, comptera dessus pour poser les jalons de son propre discours. Mais lui, il analysera, il conclura d'autres choses : il replacera les éléments qu'il aura ainsi reconnus comme déterminants dans une compréhension générale de la période où ils s'enracinent; il leur conférera tout leur sens historique en dégageant d'après eux le sens général de cette période. L'historien travaille à établir des rapports, et pas n'importe quels rapports : ceux qui reconstituent un sens historique déterminant, ceux qui décrivent un seul mouvement, et non pas les aspects hétéroclites d'une histoire morcelée; un processus-clé, pouvant être désigné par un concept fondamental. Par exemple, celui de révolution bourgeoise-paysanne, qui est la plus haute leçon qu'on puisse tirer de l'étude du processus révolutionnaire, et qui en livre l'unicité de sens et de fonctionnement.

Comment définissons-nous notre propre travail, par référence à celui que nous pensons appartenir à l'historien ? Essentiellement, comme une contribution. C'est-à-dire comme un projet qui, sans remplir les visées propres au projet de l'historien, se place dans la même perspective : renouer les fils disparates d'une réalité historique donnée.

Ici, l'objet, c'est l'idéologie antiféodale : c'est seulement à ce titre d'idéologie que l'antiféodalisme peut être par nous isolé de l'ensemble du processus révolutionnaire; parmi tous les aspects sociaux de la Révolution, nous ne nous pouvons intéresser qu'à celui-là, idéologique. Et pour parler de l'antiféodalisme en tant que tel, pour trouver la spécificité de cet aspect idéologique de la Révolution française, il faut l'envisager non pas dans ses mille effectuations, qui sont la Révolution même, mais dans son esprit proprement dit, dans sa cohérence interne. Et qu'est ici cette cohérence, sinon le processus capable d'acheminer à tous les niveaux de la lutte révolutionnaire le même projet, la même logique, les mêmes principes ? Ce processus, nous l'appelons : courant idéologique.

Dans ce courant antiféodal, nous avons dès lors voulu déterminer des lignes de force, des contradictions, des confluences. Nous en avons fait notre objet d'investigation. Nous l'avons remonté jusqu'à ses sources, suivi dans ses principaux détours, poussé dans ses aboutissements. Et ce faisant, nous avons trouvé que son dynamisme résidait dans cela même qui orientait la Révolution tout entière : une prédominance implacable des intérêts bourgeois, non consciemment éprouvée par ceux que ces intérêts exploitaient, non clairement formulée par ceux qu'ils flattaient, fin profonde et influence sourde, pesant de tout son poids sur l'antiféodalisme, et lui imprimant sinon sa marque, du moins son mouvement.

Nous avons appelé cette prédominance des intérêts bourgeois : « idéal d'appropriation ».

La bourgeoisie exploiteuse voulait s'approprier l'espace économique tout entier pour y étendre son exploitation, et donc en expulser les anciens privilèges. Révolutionnaire, elle voulait s'approprier tous les moyens de s'assurer la maîtrise de cet espace socio-économique, et partant le pouvoir.

Mais cette double ambition appropriatrice n'était, du point de vue du courant révolutionnaire, qu'un idéal : elle était toute la Révolution, mais la Révolution, se déroulant souvent à côté d'elle, ne fut pas que l'ambition appropriatrice de la bourgeoisie. La vague de l'antiféodalisme populaire éclaboussa, submergea même bien des fois l'idéal du capitalisme marchand conquérant, qui ne la pouvait contenir tout entière.

Il nous fallait le retrouver, sous l'écume du tourbillon révolutionnaire, et précisément, dans cette période de crise où l'Ancien Régime faisait assaut de féodalisme contre le capital marchand jusque-là prospère. Alors que la bourgeoisie ne faisait point encore la Révolution, elle commençait à ressentir durement le poids du féodalisme : là se formait son idéal, dans ce qu'il avait d'à la fois dominant et marginal, appelant sous sa tutelle comme à son aide le peuple. Les bourgeois devenaient peu à peu aussi antiféodaux que les masses laborieuses, jusqu'alors ignorées d'eux. Ils proclamaient à la face du féodalisme, comme à celle de ces masses, leur désir d'en finir avec la tutelle du système archaïque et fondé sur le privilège, où ils trouvaient naguère une protection, et qui leur devenait un insupportable carcan.

Rappelons-nous ici ce que Sade fait dire, dans

Oxtiern, ou les malheurs du libertinage [1], à un bourgeois
vertueux, honnête maître de garnis, et qui fera bientôt,
à n'en point douter, un excellent sans-culotte. Fabrice,
c'est son nom, doit recevoir chez lui un grand seigneur,
au demeurant fort méchant homme, qui veut abriter
dans l'auberge ses forfaits, sur la personne d'une jeune
aristocrate qu'il a enlevée. A la nouvelle de ce crime, il
s'indigne, et son indignation a les accents de cet antiféodalisme bourgeois de la première heure que nous
venons d'évoquer.

> « Je n'ai que trop à me plaindre des libertés
> qu'il croit être en droit de se permettre chez moi,
> parce qu'il me fait l'honneur de me regarder
> comme son protégé; je ne veux point de la pro-
> tection d'un grand seigneur, quand il n'en résulte,
> comme c'est l'usage, que la complicité de ses
> désordres. »

Refus du bourgeois aubergiste de se compromettre
plus longtemps avec un despote qui, en échange de
vagues protections, conserve jalousement tout le pouvoir (Oxtiern est sénateur) d'exercer ses privilèges mal-
faisants. C'est l'histoire même de la formation d'un
antiféodalisme bourgeois, très vite dominé par le
désir de faire triompher ses propres intérêts, et de donner aux forces véritables de la nation (en l'occurrence,
le capital marchand) la possibilité de dompter l'arro-
gance des privilèges. Ainsi la pièce se termine-t-elle sur
cette morale surprenante qu'en tire Fabrice :

> « J'ai fait de mon argent le meilleur usage...
> Punir le crime et récompenser la vertu... Que quel-
> qu'un me dise s'il est possible de le placer à un
> plus haut intérêt... [2] »

---

1. Drame en trois actes et en prose, 22 octobre 1791. Ici,
acte I, scène 1.
2. Acte III, scène 6.

Cette métaphore pourrait en effet résumer tous les rapports qui, pendant des années, vont se tisser entre le courant antiféodal général et l'idéal d'appropriation de la bourgeoisie : cette dernière n'a cessé de placer son antiféodalisme à un taux exorbitant, d'où elle tire son intérêt suprême, le contrôle de la production et du pouvoir politique. A jeter ses forces dans la lutte antiféodale, elle retire la puissance de posséder ce qu'elle voulait s'approprier; et c'est dans la perspective de cette appropriation, idéal non encore réalisé, que la bourgeoisie prend la tête du mouvement révolutionnaire, investissant dans la vaste entreprise de démantèlement de l'édifice féodal. Cet idéal, bien que non explicite dans le courant unitaire, devient aussi celui de tout l'antiféodalisme; car il n'y a qu'une Révolution, à laquelle tout conspire, une seule Révolution française et bourgeoise.

L'idéologie antiféodale est pleine du jeu complexe de ces influences et de ces refoulements, de la combinaison dynamique de ces déterminations contradictoires : les différents mobiles de l'antiféodalisme populaire, d'une part, et la fin accapareuse de la bourgeoisie, d'autre part, laquelle pénètre idéalement, mais non moins réellement, tout le courant antiféodal.

Posons ici une nouvelle fois la question de notre place au sein des recherches historiques. Notre point de vue est tout entier inscrit dans l'Histoire. Mais de même que nous pensons n'apporter à l'histoire qu'une contribution, de même ne prétendons-nous en aucun cas remplacer ici les historiens. Ce travail est trop imprégné des leçons de Georges Lefebvre, d'Ernest Labrousse, d'Albert Soboul pour revendiquer une quelconque originalité dans la position purement historique des problèmes. Tout au plus avons-nous tenté de faire converger leurs conclusions à l'endroit précis de la détermination d'un courant idéologique antiféodal. Ce faisant, nous avons sans doute tissé un nouveau réseau de compréhension, dont ces historiens n'avaient peut-être pas, isolément, conçu le lieu ou le sens.

Mais l'étiquette philosophique, dans ce projet ? Elle porte la marque de ces mêmes ambiguïtés qui pèsent aujourd'hui sur la philosophie. Cette dernière n'est plus cantonnée dans l'approfondissement de son propre corpus conceptuel, ni même dans le renouvellement de ce corpus. Il semble même qu'ayant mis à ce travail un point final, la génération des Lalande et des Lachelier ait voulu en consacrer l'aboutissement, en établissant un dictionnaire de la langue philosophique. Là, les concepts d'être, de substance, de mode, fixés dans leur achèvement, deviennent, d'objets qu'ils étaient naguère, de purs instruments pour notre philosophie. Car nous avons une philosophie à faire, et nous nous devons de porter dans maints domaines les lumières d'une authentique réflexion philosophique. Ainsi nous faut-il nous interroger sur le statut de l'idéologie, et pas seulement de l'idéologie en général, dont le concept reste à définir. Les variations internes d'un courant comme l'antiféodalisme nous permettent d'éprouver de façon concrète les limites et la portée d'une semblable communauté idéologique, et l'impact en son sein d'une tendance dominante. Nous ne pouvons penser l'idéologie qu'à travers ses effectuations historiques, c'est si évident qu'il peut sembler vain de le déclarer ici. Et pourtant...

Ceux qui parlent le plus — ne disons pas « pensent » — sur l'idéologie, et manipulent à l'envi les termes — ne disons pas « les concepts » — d'idéologie dominante ou de détermination sociale, sont aussi ceux qui critiquent le plus violemment la philosophie, en la rejetant dans l'idéologie tâtonnante et le conservatisme démobilisateur. Cependant, ils ne laissent pas de parler à partir d'un *a priori* bien singulièrement anhistorique ! On pourra s'interroger sur la convergence de ces deux mises entre parenthèses, de la philosophie d'une part, et de l'Histoire d'autre part. Car ce n'est pas penser dans l'Histoire que manier, au hasard d'une logorrhée psychanalysante, les ectoplasmes de « capitalisme » ou de « prolétariat ». Ce n'est pas non plus philosopher. Car la philosophie ne peut développer son discours que sur un objet spécifique, dont elle a su établir au préalable le statut au sein de sa réflexion, en se donnant cet objet comme pensable.

Le travail des philosophes, bien loin d'être terminé, comme le prétendent pêle-mêle beaux-esprits et technocrates avares, peut s'ouvrir à de nouveaux objets, et chercher à se les rendre pensables à travers les déterminations qu'en fournissent d'autres disciplines.

C'est dans cet esprit que nous avons choisi de nous tourner vers l'histoire, non point pour y venir concurrencer tant bien que mal ceux dont elle est le métier, mais pour éprouver la possibilité pour la réflexion philosophique de mettre le cap sur des domaines nouveaux et de nouvelles perspectives. L'histoire, mais aussi la linguistique, les sciences humaines en général peuvent lui ouvrir ces horizons; la philosophie doit tout gagner à cette découverte, et l'histoire, la linguistique ou les autres sciences de l'homme n'ont sans doute rien à y perdre.

CHAPITRE PREMIER

PROPRIÉTÉ FÉODALE ET MODE DE PRODUCTION A LA FIN DE L'ANCIEN RÉGIME

> « Les sociétés humaines et en particulier les sociétés modernes sont si complexes que dans de longues périodes de transition coexistent et fonctionnent à la fois, malgré leur contrariété essentielle, les organes économiques du passé et ceux de l'avenir. »
>
> JAURÈS : *Histoire socialiste de la Révolution française.*

Il existe à la veille de la Révolution une double détermination économique qui partage la réalité de la France révolutionnaire en deux nécessités à la fois combinées et antagonistes : d'une part le poids devenu insoutenable d'un féodalisme 1 parvenu à son comble, d'autre part l'élan des possédants impatients de résoudre les multiples contradictions d'une économie en crise, et en dou-

---

1. Féodalisme se dira ici de la vivacité économique et institutionnelle avec laquelle se maintient la féodalité, le *complexum feudale,* dans un pays qui n'est plus une société féodale véritable.

loureuse mutation. Les classes impliquées dans ce double jeu des nécessités historiques fondent leurs antagonismes sur la complexité de ce jeu, et les expriment à tous les niveaux où se conjuguent la destruction révolutionnaire de la féodalité et la construction révolutionnaire du capitalisme.

Il y aura donc des lieux de lutte antiféodale et des lieux d'accumulation capitaliste dans ce mouvement visant à l'instauration de nouveaux rapports de production, et qui ne se recouvriront pas forcément. Et notamment, les possédants devront situer tantôt dans les uns, tantôt dans les autres, la défense efficace de leurs biens.

Pour assigner leur place respective à ces positions de classe, il faut faire la part de l'antiféodalisme et de la tendance au capitalisme, qui sont comme le négatif de cette étroite imbrication de deux modes de production partiels, le féodal et le capitaliste, qui caractérisent la France de 1789 comme formation économique et sociale.

La question de cerner et de différencier l'antiféodalisme et la tendance au capitalisme fait retour en ce qu'elle mène tout droit à la détermination des instances conjuguées du mode de production féodal et du mode de production capitaliste dans la France de 1789. Ainsi, c'est au fondement même de la possession des biens — le ou les modes de production définissant une formation économique et sociale — que nous renvoie notre tentative de caractériser les diverses attitudes de classe face à cette possession. Il convient donc de voir comment les conflits et contradictions au sein du mode de production ont été livrés, en pleine crise économique, aux antagonismes de classes.

§ 1. Le plus haut degré du féodalisme : le prélèvement féodal.

On a vu que l'évolution des techniques et surtout l'augmentation générale des richesses pendant le XVIIIe siècle (notamment jusqu'à l'avènement de Louis XVI) ont contribué à modifier considérablement les rapports de production, et favorisé l'essor de nouvelles forces productives, au sein du mode de production féodal en vigueur depuis plusieurs siècles dans l'Occident médiéval.

Il n'en reste pas moins que ce mode de production continue à caractériser la société essentiellement agricole de l'Ancien Régime; il en régit partiellement l'artisanat et le commerce, et c'est en ce point précis qu'il se verra supplanté par un capitalisme marchand et manufacturier. Mais c'est dans la production agricole et l'économie rurale qu'il connaît un fonctionnement tout à fait privilégié. Comme cette économie rurale domine une France à 85 % paysanne, le fonctionnement du mode de production dont elle est le lieu privilégié est le plus hautement représentatif des rapports de production de la France d'Ancien Régime. N'oublions donc pas la permanence des réalités de base, et étudions les instances du mode de production féodal dans l'économie française en tant qu'il qualifie le secteur principal d'une nation agricole : ce qui demeure, malgré l'essor du négoce, c'est

> « une Europe, une France essentiellement rurales [...]. La rente foncière, féodale pour l'essentiel, domine la vie agricole et donc l'ensemble de l'économie. Elle commande les rapports sociaux; elle s'impose, par le prestige qui s'attache toujours à la propriété de la terre, à la bourgeoisie

marchande ou manufacturière. Elle modèle l'idéologie [1]... ».

Son rôle social et idéologique, nous le connaîtrons
ultérieurement : il dépend de la vivacité avec laquelle
se maintient la rente foncière dans son exercice proprement féodal, le prélèvement seigneurial. Et c'est la
vivacité du féodalisme rural qui nous donne la plus
haute expression du mode de production que vient
ébranler la Révolution.

Le mode de production féodal se caractérise dans les
campagnes par

> « l'appropriation directe par les seigneurs du
> produit du surtravail des paysans, ainsi qu'en
> témoignaient les corvées, les droits et redevances
> en nature et en argent auxquels ces derniers étaient
> assujettis [2] ».

Le principe de cette appropriation directe du produit
du surtravail paysan est la propriété limitée du seigneur
sur le paysan; celui-ci

> « vit et travaille dans le cadre de la seigneurie,
> sa terre relève d'un fief [3] ».

Les paysans, teneurs censitaires ou encore serviles du
fief, sont bel et bien « taillables et corvéables à merci »,
et cela pas seulement dans le Jura et le Nivernais où le
servage n'a pas été aboli en 1779. Malgré ce qu'en
disait Quesnay, la féodalité n'a pas « songé qu'à la

---

1. A. Soboul : *La Civilisation et la Révolution française.*
I. *La crise de l'Ancien Régime,* Introduction à la première
partie, p. 44.
2. A. Soboul : *Rapport sur le féodalisme* au colloque du
Centre d'études et de recherches marxistes, avril 1968.
3. A. Soboul : *La crise de l'Ancien Régime,* Ire partie,
chap. 1, p. 58.

propriété du terrain [1] », ce que montre bien Albert Soboul dans son analyse des cadres de l'existence paysanne.

> « La seigneurie, hors de son domaine foncier, était d'autre part un ensemble de droits : la *directe,* par laquelle la seigneurie affirmait son autorité sur la terre et les hommes, dominant et exploitant la communauté. »

Il est certain que le seigneur ne pourrait exiger le prélèvement s'il ne s'assurait pas cette domination qui est une quasi-propriété. Et c'est bien le caractère de la possession féodale des biens que d'être absolue, immédiate dans sa permanence et son omniprésence, incapable de subir un morcellement. Cette possession commence avec « le droit de police sur la terre et les hommes, arme la plus efficace du fief ». Cela, nulle exploitation capitaliste, si cruelle soit-elle, ne le reproduira en osant inclure dans la même et universelle possession hommes, denrées, bestiaux, pourvu qu'ils soient « ensemble sur le finage et territoire ».

Quant à définir précisément la nature du prélèvement féodal qui est au cœur de toute cette belle organisation seigneuriale, nous nous intéresserons surtout à ce qu'il représente pour celui qui en bénéficie et qui aura sous peu à le défendre contre le déferlement de l'antiféodalisme. Car, si le montant de la charge féodale qui pèse sur le paysan montre bien la part de la production ainsi grevée, le rapport entre les droits féodaux et le revenu total des profiteurs peut éclairer sensiblement l'intérêt qu'ils y trouvent, et par là, leur attitude à l'égard de cette propriété. Cette étude très historique n'a du reste d'autre fin que de délimiter les bases de ce qui sera l'antagonisme des diverses conceptions du bien et de sa possession exprimées dans la Révolution française.

---

1. François QUESNAY : *Analyse du Tableau économique,* in *Œuvres complètes,* Paris, 1888, p. 319.

Le seigneur [1] prélève de 25 à 30 % du produit de la culture. La proportion est générale, et même généralisatrice : elle recouvre en fait de grosses inégalités, régionales ou locales. Le prélèvement féodal en Haute-Auvergne s'évalue à 10 % du produit brut et celui du Languedoc irait jusqu'à 40 %. D'autre part, la proportion varie selon qu'il s'agit du produit brut ou du produit net de l'agriculture.

> « Or c'est le poids total que supportait la tenure par rapport à son produit, qu'il faudrait connaître. Alors seulement on aurait une idée de la charge relative que constituait l'ensemble du complexe féodal [2]. »

D'après le mémoire de l'agronome Saint-Pol de Reuilly, Georges Lefebvre constate :

> « Une terre dont le produit brut est de 48 000 livres, expose-t-il, laisse 12 000 livres de produit net, les frais d'exploitation absorbant les trois quarts de la production [3]. »

Ce qu'on trouve déjà énoncé par Quesnay dans les tableaux de son article « Fermiers » de l'*Encyclopédie,* avec cette même énormité de la part dévolue aux frais d'entretien dans le produit brut de la terre. Cette part, c'est le paysan qui la paie : énormité de la part dévolue à la charge féodale dans le maigre produit net restant. Dans l'élection d'Aurillac, la charge féodale totale emporte 16,41 % du produit net, 19,06 % dans celle de Saint-Flour, avec l'indication que cette proportion est

---

1. Nous désignerons ici par seigneur le bénéficiaire de tout prélèvement féodal ou assimilable au féodo-seigneurial sur le produit de la terre.
2. A. SOBOUL : « La Révolution française et " la féodalité " », *Revue historique,* 1968, n° 487, p. 33.
3. G. LEFEBVRE : *Etudes orléanaises,* tome I, p. 57.

quelque peu élevée par rapport à la moyenne française. Les possesseurs de la terre reçoivent donc tout ce que celle-ci peut donner, à l'exclusion de la maigre part qu'a réussi à prélever ce que Quesnay nomme « la classe productive ». Le même Quesnay nous donne, dans ses définitions claires et désespérément optimistes des rapports de production agricoles, une bonne formulation de ce processus d'accaparement du produit net par les propriétaires.

> « La classe des propriétaires comprend le souverain, les possesseurs des terres et les décimateurs. Cette classe subsiste par le revenu ou *produit net* de la culture, qui lui est payé annuellement par la classe productive, après que celle-ci a prélevé, sur la reproduction qu'elle fait renaître annuellement, les richesses nécessaires pour se rembourser de ses avances annuelles et pour entretenir ses richesses d'exploitation [1]. »

Notons que c'est toujours du point de vue du propriétaire que nous envisageons ici le prélèvement et même la charge féodale (quelle part de son bien lui revient sous forme de rente). Le point de vue du paysan exige une approche plus nuancée tenant compte du contexte particulier dans lequel pèse la charge féodale. Selon, différence capitale, qu'il est ou non propriétaire, on pourra différencier les prélèvements qui constituent l'ensemble de cette charge, et spécifier s'il s'agit du poids du seul cens seigneurial, du loyer ou des champarts. Cela, nous le verrons plus tard, il n'est ici question que de la possession féodale du bien foncier.

Retenons en tout cas la prospérité du seigneur, qui prélève tant d'une terre qu'il ne cultive et même ne

---

1. QUESNAY : *Analyse du Tableau économique*, p. 308.

connaît pas. « Il est plus agréable d'être rentier que propriétaire », dit dans son mémoire Saint-Pol de Reuilly, agronome orléanais.

Il nous faut alors passer à la détermination de la part que représente le prélèvement féodal dans le revenu global des seigneurs. Citons pour mémoire cette pétition de la petite noblesse orléanaise à l'Assemblée législative désireuse de supprimer en 1792 les lods et ventes.

> « Ignore-t-on, écrivaient plusieurs, le 22 mai, que nombre de familles n'existent que des revenus de leurs terres, et que, si cette propriété leur était enlevée, elles perdraient plus de la moitié de leur existence 1 ? »

Cette moitié-là est-elle réelle ou quelque peu gonflée des terreurs de la seigneurie menacée ? Gonflée, certes, puisque l'on voit les plus grandes victimes, les plus cruels ennemis de la Révolution perdre à la suppression des droits féodaux plus du tiers de leur revenu global : pour certains seigneurs bretons, en l'an VIII, « sur le revenu annuel total le recul était de près de 35 % 2 ». Les seigneuries de Haute-Auvergne rapportent à des féodaux particulièrement jaloux de leurs prérogatives nettement plus du tiers de leur revenu. Mais aussi, quelles ne seront pas les résistances des nobles auvergnats aux tentatives visant à les déposséder, ne fût-ce que d'une partie de ces droits féodaux ! Et même là où la lutte sera moins acharnée, le pourcentage de la rente féodale dans le revenu des propriétaires atteint des 50 et des 60 % : « le prélèvement féodal constituait une part essentielle des revenus des monastères d'ancienne fondation » en Haute-Normandie, « un à deux tiers du revenu total 3 ».

---

1. G. LEFEBVRE : *Etudes orléanaises,* tome I, p. 182.
2. A. SOBOUL : *La crise de l'Ancien Régime,* chap. 2, p. 74.
3. *Ibid.,* p. 71.

La part énorme de ce profit indépendant de tout investissement et de tout maniement de la propriété (nous verrons que le revenu seigneurial se distingue, par son inertie, du revenu domanial ou même des produits de la réserve du seigneur) jette sur la question de la propriété féodale un double éclairage. Elle motive un attachement acharné des propriétaires féodaux à leurs droits et favorise le surgissement d'une idéologie défendant les valeurs du système de la rente féodale. Elle inscrit la propriété féodale en marge du circuit de la production et des échanges, la libère de toute forme de dépendance à l'égard du mouvement des prix, le seigneur touchant *dans tous les cas* sa rente. Nous en venons dès lors à poser la question du traitement par les seigneurs de leur bien : comment les seigneurs traitent-ils la richesse qu'ils possèdent, et tout d'abord, quelle est cette richesse ?

Dans tous les cas, il faut souligner que la seule possession de la terre est elle-même source de revenu pour les seigneurs. Si la seigneurie est d'abord une terre, elle est aussi un ensemble de droits, et tous les droits de la seigneurie marquent une immédiateté du rapport foncier avec la propriété foncière, caractéristique d'un régime féodal et impossible dans un régime capitaliste. Tout ce qui concerne la terre possédée par le seigneur est pour lui le lieu d'un profit. Nous n'entreprendrons pas ici d'inventorier tous les droits féodaux qui pesaient en 1789 sur le travail de la terre. Contentons-nous d'en embrasser l'étendue, avec cette description qu'en fait Jaurès.

> « Ainsi sur toute force naturelle, sur tout ce qui végète, se meut, respire, le droit féodal a étendu ses prises : sur l'eau des rivières poissonneuses, sur le feu qui rougeoie dans le four et cuit le pauvre pain mêlé d'avoine et d'orge, sur le vent qui fait tourner les moulins à blé, sur le vin qui

> jaillit du pressoir, sur le gibier gourmand qui sort
> des forêts ou des hauts herbages pour ravager les
> potagers et les champs [1]. »

En effet, la propriété est comme investie d'une
nécessaire fonction de rapport, elle a une existence et
un dynamisme propres, indépendants de toute entreprise ultérieure du propriétaire. Ainsi,

> « les rentes ont d'autres avantages qui leur don-
> nent une valeur beaucoup au-dessus de celle du
> setier que recueille le propriétaire »,

comme le note un mémoire de la municipalité d'Arpa-
jon en 1790 [2].

La propriété féodale rapporte avant la terre proprement dite, et davantage. Tant que c'est le produit brut
qui est grevé par les droits féodaux, le revenu seigneurial est stable et assuré bien avant toutes les déductions
qu'opérera le cultivateur, eu égard à la variation
conjoncturelle de la part prise par les frais d'exploitation et avances diverses consenties par lui. Et d'autre
part, ce revenu est toujours gonflé par les sommes
prélevées sur l'utilisation même par les cultivateurs de
la terre seigneuriale, sommes qui viennent s'ajouter à
celles prélevées, en même temps que des marchandises, sur le produit brut.

C'est donc d'une manière absolue que les droits
féodaux enveloppent le travail de la terre; ils recouvrent la totalité des rapports économiques et sociaux
qui peuvent s'instaurer au sein de la production agricole. Les produits de la terre, avant même qu'ils
n'aillent, pour leur plus grande partie, dans les greniers
du seigneur, rendent de leur richesse à chaque fois

---

1. Jean JAURÈS : *Histoire socialiste de la Révolution française*,
tome I, chap. 1ᵉʳ, E.S., p. 79.
2. A. SOBOUL : *Revue historique*, article cité, p. 50.

qu'un instrument aratoire les touche, qu'un paysan les transporte, ou mieux, se déplace pour les besoins de ses cultures. C'est l'interminable liste des droits de péage et des banalités, qui soumet à la taxe féodale la circulation et le travail de la terre, quand cens, champart et parfois dîme venaient s'emparer de la production, quand lods et ventes, franc-fief et droits de rachat venaient régir l'occupation des terres à cultiver par ceux qui les cultivent. Les banalités et les droits de péage nous importent ici moins par la lourdeur des charges ainsi imposées aux paysans que par le sens exemplaire de semblables prélèvements au sein de la propriété féodale. Ces taxes sur la circulation des marchandises montrent bien en effet que le seigneur jouit des produits de sa propriété avant même qu'ils ne soient investis d'une quelconque valeur marchande, c'est-à-dire avant qu'il ne réalise à proprement parler le profit que lui procure la vente de ces produits. La propriété féodale se place d'emblée dans une inertie extérieure au mouvement général de la production et des échanges. « Etrangère à toute activité productrice, elle vivait en parasite sur le corps social, le monde paysan », écrit de la seigneurie Albert Soboul [1]. Cette propriété développe à l'intérieur d'un circuit clos une relation de type tautologique avec le revenu qu'elle rapporte au seigneur, revenu impliqué par la nature même de la propriété féodale, quelles que soient les fluctuations de la production agricole. C'est sur les bases de cette immédiateté que s'établira, comme nous le verrons, la résistance du revenu féodal et de la rente foncière au mouvement de hausse des prix et à la crise économique qui caractérisent la fin de l'Ancien Régime.

---

1. A. SOBOUL : *La crise de l'Ancien Régime,* Ire partie, chap. 3, p. 89. Et si le seigneur devient par là même chef d'entreprise, il n'en faut pas pour autant perdre de vue ce caractère obligatoirement fermé de l'entreprise seigneuriale.

Le seigneur intervient à l'endroit précis de l'hétérogénéité existant au sein du régime féodal entre la production et la circulation. Il perçoit sur la place du marché les droits de minage et de mesurage auxquels il soumet les paysans qui vont vendre ce qui leur reste des produits d'une terre si chèrement cultivée. Le profit qu'il retire de ces taxes est comme la non-reconnaissance de l'unité indissoluble du produit et de la vente, une sorte d'intermédiaire entre les deux, et qui équivaut, au niveau de la circulation, à ce qu'est, au niveau de la production, le surtravail paysan, par opposition à son travail nécessaire. La propriété féodale, en marge du mouvement de la production, l'est également de celui des échanges : elle s'y immisce par le truchement des surprofits qu'elle y effectue, de même qu'elle aura pu jouer de son inertie économique pour affronter victorieusement la crise finale de l'Ancien Régime.

On peut dire, dès lors, que tout le dynamisme de la propriété féodale tient dans le retrait de cette dernière par rapport à l'activité productive et commerciale de l'agriculture. La richesse du seigneur est dans le fait originel de ses titres de propriétaire, et son maintien dans la seule réaffirmation de ces titres. La source de la richesse seigneuriale est dans l'effectuation de deux séries de surprofits, également étrangers à une activité productive véritable, et fondés sur le seul droit du seigneur à la pleine propriété des terres ou à la mainmise absolue sur le fonctionnement de leur culture. D'une part, il y a surprofit effectué sur un surcroît de travail paysan. D'autre part, il y a surprofit effectué sur une diminution des bénéfices paysans sur la vente directe des produits agricoles. Ce qui se solde pour le paysan par plus de travail, un grenier moins rempli et des marchés moins fructueux. Pas plus qu'il ne connaît le poids variable des frais d'exploitation de la terre, et, en général, les aléas de la production agricole, le seigneur ne connaît la valeur marchande des produits directement intégrés dans un circuit d'échange. Pas plus qu'il ne prend part à la production, il ne cherche à orienter cette production vers la valeur d'échange.

De cette double absence de la propriété féodale par rapport au procès de la production et de la circulation, et de son exploitation systématique de cette absence par des prélèvements, l'on peut tirer les attitudes et les options fondamentales de la seigneurie quant à l'utilisation qu'elle fait de sa richesse, et quant à la façon dont, en général, elle peut la traiter.

D'abord, la richesse issue du prélèvement féodal est une richesse pour la plus grande part destinée à la consommation et donc refusée à l'investissement : un « travail mort ». Le bien est pour les féodaux ce dont on jouit, et rien d'autre. De même qu'ils jouissent immédiatement de leur propriété par le seul fait des droits qu'elle implique, de même ils jouissent immédiatement des richesses qu'ils tirent de cette propriété, en les réduisant à leur seule valeur d'usage et en les consommant sur place. Pour le propriétaire féodal, le bien est là, donné d'avance, aussi sûr que la nécessité pour ceux de sa classe de se procurer par lui les éléments d'un train de vie élevé. Et c'est la seule conversion que consent à opérer le seigneur de ce bien qui lui revient nécessairement : ces « objets de faste et de somptuosité » dont parle Necker dans son mémoire, et qui constituent tout l'horizon, selon les mots de Marx, de « la noblesse féodale, impatiente de dévorer plus que son avoir, faisant parade de son luxe, de sa domesticité nombreuse et fainéante [1] ». Des fastes improductifs de cette féodalité, le cahier de doléances d'Issé, en Loire-Inférieure, fournit un vivant exemple : la noblesse vendéenne utilisant la corvée aux fins de rénovation des châteaux, les paysans d'Issé demandent en 1789

---

1. Karl MARX : *Le Capital*, livre I, chap. 23.

que soient supprimées les « corvées d'embellissement somptuaire des châteaux [1] ». Il ne restait de tout cela que fort peu de chose pour l'investissement agricole.

> « Les bénéficiaires de la rente foncière, en consommant au lieu d'investir, faisaient obstacle au développement économique [2]. »

Nous verrons comment Quesnay analyse le processus par lequel la consommation de luxe corrompt une économie. « Ce luxe dominant [...] n'empêche-t-il pas le propriétaire de réparer et d'améliorer ses biens [3]... ? » interroge-t-il, pour déplorer l'absence de réinvestissement dans l'agriculture.

C'est dans son ensemble toute la pensée économique et politique des Lumières qui a stigmatisé avec force ce gaspillage du produit agricole par les bénéficiaires du prélèvement féodal. Car l'assimilation exclusive de la plus-value perçue par le seigneur à un revenu et à un fonds de consommation devient bel et bien, en ce XVIIIe siècle florissant de richesses et d'ambitions nouvelles, un obstacle au développement économique. Nous aurons plus loin l'occasion de voir en quoi se noue là la question de l'antiféodalisme libéral. « Quiconque arrive à Paris du fond d'une province avec de l'argent à dépenser et un nom en ac ou en ille [4], apparaît bientôt comme l'ennemi commun de tous ceux qui misent sur un développement de la masse des capitaux en circulation et des investissements. Car ce n'est pas avec la petite part investie par ce dispendieux hobereau dans les industries de luxe que la grande industrie pourra prospérer, ou même tout simplement surmonter

---

1. Cité par A. Soboul : *La crise de l'Ancien Régime*, 2e partie, chap. 10, p. 230.
2. A. Soboul, *ibidem*, 1re partie, chap. 3, p. 89.
3. Quesnay : *Questions intéressantes sur la population, l'agriculture et le commerce*, article « Richesses », § VI.
4. Voltaire : *Lettres anglaises*, X.

la crise issue de la sous-production agricole. Il y aura donc, dans les derniers moments de l'Ancien Régime, et alimentée par une crise économique générale, une levée de boucliers contre la figure, désormais jugée désuète et inutile, du propriétaire féodal qui « dissipe ainsi la plus-value comme revenu, au lieu de la faire fructifier comme capital [1] ». Tirant son revenu d'un prélèvement en marge de toute activité productrice, le seigneur le consomme en ne lui permettant aucun retour à la production.

On observe un même détachement par rapport au circuit des échanges dans la politique de vente du propriétaire féodal. Le seigneur fait fructifier son profit non pas comme capital, mais comme stock : l'on ne saurait confondre accumulation fondée sur le maniement d'un capital et entassement des valeurs inertes qui, par différence, deviennent valeurs d'échange. S'il est incapable de ne pas consommer la plus-value qu'il retire de ses terres, le seigneur n'en est pas moins soucieux de consommer ainsi le plus gros revenu possible : il attend que ce revenu se bonifie, il se met à stocker la partie de son fonds de consommation dont il n'a pas un besoin immédiat. Le plus bel exemple de ce procédé est celui des grands propriétaires de vignobles bordelais ou bourguignons, dont les profondes caves voient se multiplier chaque année la richesse qu'elles recèlent depuis plusieurs vendanges. L'exemple le plus cruel en est sans doute celui de ces grands stockeurs de grain beaucerons, fauteurs de vie chère. Premier possesseur du bien agricole, le seigneur est en effet le propriétaire des stocks les plus importants, essentiellement constitués par les redevances en nature que lui versent ses vassaux, fermiers et métayers. C'est donc de lui que viendra la plus grande quantité de

---

1. Karl MARX : *Le Capital,* livre I, chap. 24.

marchandises sur lesquelles peut s'effectuer une spéculation.

> « Car la propriété venderesse de ces blés hors
> de prix, la propriété des grands surplus négocia-
> bles, est largement une propriété proche ou émi-
> nente — de noblesse ou d'Eglise », ainsi que le
> montre Ernest Labrousse [1].

En effet, pour n'être pas l'intermédiaire proprement
dit de cette sorte de transactions, le seigneur n'en est
pas moins leur moteur et leur source nécessaire. Personne ne s'y trompera en 1789, lors du grand mouvement de pétitions et de doléances qui dénoncera les
contradictions manifestes du régime. Citons ce que
relève Georges Lefebvre pour les campagnes orléanaises.

> « Ce ne sont pas les marchands qui ont provo-
> qué la cherté dont ils profitent, estime en 1789
> le subdélégué de Beaugency : " Les blés sont en
> main plus forte. " Bien que le cas des possesseurs
> laïques de champarts fût le même, c'est aux
> décimateurs, aux seigneurs et propriétaires ecclé-
> siastiques que les cahiers s'en prennent comme
> auteurs de la cherté [2]. »

Et G. Lefebvre cite encore :

> « Une cause de la cherté, explique le subdélé-
> gué de Beaugency en 1789, vient des grands pro-
> priétaires qui ont vendu à haut prix leurs moissons
> à leurs fermiers [3]. »

---

1. E. LABROUSSE, Préface à l'*Histoire socialiste de la Révolution française* de JAURÈS, Editions sociales.
2. G. LEFEBVRE : *Etudes orléanaises,* tome I, chap. 4, § 2,
p. 236.
3. *Ibidem,* p. 237.

C'est par ces menées que les propriétaires féodaux peuvent être les grands bénéficiaires d'une hausse des prix qui affame les acheteurs, et cela dans le cadre d'une indifférence générale de ces propriétaires à l'égard des nécessités de la production et des échanges. De leur part, aucun investissement, aucun achat, mais des spéculations à court terme (le temps d'une récolte) favorisant des hausses cycliques des prix agricoles.

> « Qui dit alors hausse courte, hausse convulsive, dit en gros recul économique : recul de la production dans sa masse, recul des revenus... », ainsi que nous le montre E. Labrousse [1].

Les seigneurs se situent à contre-courant de tout progrès économique, par le fait de la double inertie de leur fortune et de leurs biens échangeables. Nous verrons comment ils seront pour cette raison honnis à la fois comme accapareurs et comme fardeaux inutiles par l'ensemble de ceux qui se reconnaissent dans ce que Quesnay appelle la « classe productive [2] ».

Mais pour le moment, il nous faut interpréter cette attitude des seigneurs par rapport à la position générale des propriétaires féodaux vis-à-vis de la possession des biens, à la veille de la Révolution. En quoi leur situation économique marginale permet-elle aux propriétaires féodaux de consolider les derniers mais puissants bastions du féodalisme en cette France de 1789 ?

---

1. E. LABROUSSE : *La Crise de l'économie française à la fin de l'Ancien Régime et au début de la Révolution,* Introduction générale, tome I, p. XV.
2. F. QUESNAY : *Analyse du Tableau économique,* p. 306. La classe productive, c'est ici celle qui ne consacre pas la plusvalue par un « ordre » ou par un « rang », mais par des investissements.

§ 2. Propriété féodale et propriété marchande : problème de coexistence.

Engagé dans un processus de spéculation et de consommation excluant toute participation à des investissements productifs, le seigneur stockeur reste le grand bénéficiaire de la conjoncture de crise qui caractérise les dernières années de l'Ancien Régime. Ce qui fait qu'il n'est pas le seul à rechercher une hausse de son revenu pouvant aller de pair avec une baisse de tous les autres revenus. L'isolement économique où le système du prélèvement féodal tient ses bénéficiaires est, dans ce qu'il a de conséquences heureuses, envié par d'autres paysans vendeurs, les grands fermiers, agriculteurs de pointe de l'époque. L'on voit alors les fermiers recourir aux expédients de la spéculation et suspendre leurs fructueuses ventes en attendant, à l'instar des seigneurs, la hausse.

A l'inverse du petit cultivateur obligé de vendre son grain pour s'acquitter de ses impôts, de son fermage, de ses redevances diverses, et qui prend même sur sa propre réserve de consommation pour ces paiements, « quitte à racheter l'indispensable plus tard et plus cher, à la veille de la moisson [1] » — le fermier aisé retarde au maximum la vente de ses grains. Il spécule longtemps sur le prix du grain, et bloque toute circulation des marchandises jusqu'au printemps, où une recrudescence des besoins des petits cultivateurs privés de réserve fait monter les prix. Il en résulte que les grands fermiers, soucieux de multiplier leurs sources d'enrichissement, engagent une course aux baux de fermage : les prix des loyers montent vite dans les dernières décennies de l'Ancien Régime, ce sont bien entendu les propriétaires seigneuriaux qui en profitent

---

1. G. Lefebvre, *op. cit.*, p. 236.

au premier chef. Il faut alors se demander comment est possible cette reprise des moyens seigneuriaux de spéculation par des fermiers parfaitement au fait des ressources de l'activité productive; comment, inversement, les féodaux s'appuient sur les fermiers pour consolider leurs privilèges.

Le grand fermier représente sans aucun doute la seule possibilité d'un renouvellement de l'agriculture en dehors des cadres aberrants du prélèvement féodal. Quesnay a déjà présenté le fermier comme l'homme d'avenir des campagnes,

> « le vrai laboureur, le riche fermier qui cultive en grand, qui gouverne, qui commande, qui multiplie les dépenses pour augmenter les profits; qui, ne négligeant aucun moyen, aucun avantage particulier, fait le bien général; qui emploie utilement les habitants de la campagne; qui peut choisir et attendre les temps favorables pour le débit de ses grains, pour l'achat et la vente de ses bestiaux. Ce sont les richesses des fermiers qui fertilisent les terres, qui multiplient les bestiaux, qui attirent, qui fixent les habitants des campagnes et qui font la force et la prospérité de la nation [1] ».

Hormis les dimensions de mission nationale que le défenseur acharné de l'économie agricole prête au rôle des fermiers, il nous faut voir toute l'importance de leur activité novatrice au sein d'une agriculture archaïque, privée de débouchés, congestionnée, en quelque sorte, par les abus du prélèvement féodal. Ce rôle des fermiers est précisément la part d'un monde nouveau et de forces productives nouvelles, dans le monde de production féodal tel qu'il subsiste dans la France prérévolutionnaire. Et l'on voit justement les seigneurs

---

1. F. Quesnay : article « Fermiers », tome VI de l'*Encyclopédie.*

trouver leur compte dans des menées destinées, au contraire des leurs propres, à faire fructifier la plus-value amassée par un travail besogneux.

Nul doute qu'ils n'y trouvent leur compte. Nul doute aussi que les entreprises des fermiers ne prennent, pour eux seigneurs, un sens tout à fait différent. Là où le fermier stockeur manipule à coups d'audacieuses tentatives le circuit des échanges, le seigneur stockeur entasse prudemment de quoi lui permettre de meubler à neuf son hôtel particulier. Là où, selon les mots de Quesnay, le fermier « multiplie les dépenses pour augmenter les profits », le propriétaire féodal se tient à l'écart de toute entreprise novatrice et considère toute dépense comme une perte sèche sur la somme totale qu'il se propose d'acquérir finalement. Qu'on lise comme témoignage de cette attitude seigneuriale la description que donne Balzac d'une vieille propriétaire de 1830, dans une Bretagne reculée où la Révolution n'est pour ainsi dire jamais passée.

> « Pour elle, les idées nouvelles, c'était les assolements de terre renversés, la ruine sous le nom d'améliorations et de méthodes, enfin les biens hypothéqués tôt ou tard par suite d'essais. Pour elle, la sagesse et le vrai moyen de faire fortune, enfin la belle administration consistait à amasser dans ses greniers ses blés noirs, ses seigles, ses chanvres; à attendre la hausse au risque de passer pour accapareuse, à se coucher sur ses sacs avec obstination [1]. »

Rien de commun entre cette obstination retardataire des seigneurs attachés aux formes les plus archaïques de l'agriculture et le bel enthousiasme conquérant de quelques fermiers déjà capitalistes. Il n'empêche que les uns comme les autres restent les seuls privilégiés et les

---

1. Balzac, *Béatrix,* Pléiade, tome II, p. 348.

seuls véritables gagnants, au sein du marasme économique qui ravage la France en 1789 et qui fait de tous les acheteurs (petits propriétaires paysans, métayers, petits fermiers, et aussi, dans son ensemble, le monde de l'industrie) les tributaires de la hausse des prix.

Le renforcement du système de rente féodale apparaît ici comme favorisé par un processus de développement des profits fermiers, étranger au complexe féodal. Le féodalisme peut donc trouver son compte dans les menées d'un capitalisme en germe, tel que celui pratiqué par les gros fermiers spéculateurs et accumulateurs de capital productif. Et ce n'est pas du tout pour faire les capitalistes que les grands propriétaires féodaux entrent avec leurs richesses dans un pareil mouvement de spéculation, mais bien plutôt pour donner une nouvelle extension aux droits seigneuriaux dont ils bénéficient. Il est remarquable que ces féodaux ne soient pas un seul instant confondus avec les gros fermiers, dans la mutuelle prospérité que leur confère la hausse des prix. On a pu s'en rendre compte au tableau que Quesnay dresse du fermier : il luttera farouchement contre tout ce que le féodalisme met d'obstacles au développement de l'agriculture, il se soulèvera contre le champarteur et le décimateur, au même titre que la masse paysanne que, par ailleurs, il pressure de concert avec les féodaux; et tout cela pour la bonne raison que le fermier n'est pas un propriétaire.

Mais, tout éloigné que soit le seigneur de son riche fermier, on ne l'en verra pas moins aller jusqu'à revendiquer, comme lui, une transformation de l'agriculture. Intensification de la culture et liberté générale de la circulation seront parfois même des arguments de poids dans la bouche des seigneurs qui voudront, comme les fermiers, mais à des fins sensiblement différentes, augmenter leurs profits. Il serait vain, aussi paradoxal que cela puisse paraître, de prêter un son « capitaliste » à ce mouvement; car il est bien celui d'une réaction féodale

avide de puissance et de richesses consommables, soucieuse de ses intérêts menacés par le négoce et la manufacture d'une bourgeoisie florissante. Il y a à la fin de
l'Ancien Régime une brutale soif de reconquête chez
les seigneurs; elle prend les formes d'un sursaut qui
utilise pour arriver à ses fins des ressources que d'autres
utilisent à des fins radicalement différentes, voire antagonistes. L'intéressant est précisément que cette trans-
lation soit possible, et que le féodalisme puisse faire
valoir pour lui des armes destinées à servir ultérieurement la cause de l'antiféodalisme. Pour assurer la survie de leurs privilèges déjà contestés, les féodaux se
prêtent aux méthodes novatrices des entrepreneurs de
culture; pour alourdir le prélèvement féodal, ils veulent
bien rationaliser leurs exploitations, en uniformisant les
formes de prélèvement (*égalisation du cens*, par exemple). C'est toujours dans le sens d'une charge féodale
accrue qu'iront ces innovations, pas du tout dans celui
d'un capitalisme triomphant. « C'était l'appât du gain
immédiat qui les guidait, non l'amélioration de la production », écrit Georges Lefebvre [1] lorsqu'il analyse ce
sursaut des propriétaires féodaux.

En effet, ces derniers restent essentiellement tournés
vers une consommation féodale des richesses, et n'ont
aucunement la possibilité ni l'intention d'inscrire, comme
les capitalistes, la production dans un plan général de
circulation. On a bien en filigrane, derrière ces quelque
peu trompeuses réformes de l'exploitation féodale, la
marque séculaire de « ces systèmes de production
anciens » où

> « le possesseur principal du surproduit auquel
> a affaire le commerçant, propriétaire d'esclaves,
> suzerain, Etat (par exemple le despote oriental)

---

1. G. Lefebvre, *op. cit.*, p. 247.

symbolise la richesse tournée vers la jouissance [1] ».

Il y eut des seigneurs qui virent leur salut dans un réel passage à l'entreprise capitaliste : pas ceux, en tout cas, qui revendiquent et imposent la liberté économique pour instaurer, grâce aux gros fermiers, un cours des ventes hors marché, et arrondir leur revenu seigneurial par les fermages en hausse qu'ils imposent aux spéculateurs enrichis. Ceux-là œuvrent bien pour un renouveau de la féodalité, « car c'est le propre d'un système économique anachronique que de se justifier en acceptant de n'être pas totalement efficace eu égard aux principes qui le fondent », comme le fait remarquer Albert Soboul [2]. Insistons donc avec Georges Lefebvre sur le fait de cette récupération bien ordonnée de certaines tendances « modernistes » par la féodalité,

> « de sorte qu'à cet égard, les tentatives favorables à la liberté du commerce des grains doivent se ranger, à côté des édits de clôture et de triage des communaux, dans le cadre de la réaction aristocratique qui a marqué le XVIIIᵉ siècle, dans l'économie comme en politique [3] ».

On remarque du reste, en face de cette contamination des coutumes féodales par les méthodes des grands fermiers, la contamination du fermage par la propriété féodale. Nouvelle manifestation de ce que nous avons reconnu comme une extension de la féodalité; mais aussi, preuve que les fermiers doivent se défendre très sérieusement des empiétements de la propriété féodale, et que, si celle-ci reste à faire en 1789, les seigneurs sont pour les fermiers des ennemis. C'est

1. Karl MARX : *Le Capital*, livre III, chap. 20, Editions sociales, p. 339.
2. A. SOBOUL, article cité, p. 45.
3. G. LEFEBVRE, *op. cit.*, p. 247.

ainsi que les baux de location à court terme du domaine proche sont peu à peu absorbés par la seigneurie; des redevances de toutes sortes sont imposées au locataire, qui viennent s'ajouter au loyer dit ferme. Conséquences de ce phénomène, que signale Albert Soboul :

> « Tous ces prélèvements finirent par représenter en Bretagne, au XVIIIe siècle, une majoration de 15 à 20 % du prix de location dans les cas les plus favorables, dans les cas extrêmes de 35 à 40 %. [...] Ce type de bail [...] n'en représentait pas moins un glissement des charges seigneuriales spécifiques des censitaires perpétuels sur les locataires à court terme 1. »

La féodalité prétend donc se réaffirmer à la fois par les méthodes les plus nouvelles et les plus étrangères à la tradition féodale, et par les interventions les plus conformes à cette tradition d'accaparement.

C'est là que nous devons nous poser la question de la possibilité d'une telle coexistence des deux voies dans la poursuite d'une fin toujours identique et sans équivoque. Comment les propriétaires féodaux pouvaient-ils combiner moyens et fin aussi contradictoires ? Le problème n'est pas ici celui du degré d'opportunisme des féodaux : toutes les méthodes sont bonnes pour faire triompher la cause d'un régime anachronique, en particulier celles qui apparentent ce régime à des régimes plus modernes. Mais, outre les intentions des seigneurs, comment la combinaison peut-elle *réellement* s'opérer entre les traitements nouveaux de l'exploitation agricole et l'intensification des droits féodaux au sein de la seigneurie ?

La possibilité de cette combinaison doit apparaître d'une part au niveau technologique, d'autre part au

---

1. A. Soboul : *La crise de l'Ancien Régime*, 1re partie, chap. 3, p. 75.

niveau des intérêts réels alors en jeu dans l'économie de la France.

L'agriculture française sommeille depuis des siècles et n'est pas considérablement rénovée par les apports techniques du xviiie siècle : peu d'évolution qualitative, un progrès médiocre dans les quantités récoltées, une croissance globale modérée. On semble cependant avoir atteint le degré précis où la production agricole suffit aux besoins de la population, et le siècle des Lumières n'est pas un siècle de famines comme le précédent. Mais en aucun cas un mouvement technologique assez fort n'est là pour commander une prompte transformation des méthodes de culture, ou de la structure de l'exploitation agricole : l'apparition des engrais chimiques, du machinisme, ou des aliments industriels ont été des apports révolutionnaires dont le xviiie siècle dans son ensemble n'a pas connu l'équivalent. Cette absence d'intervention technologique décisive maintient toutes les entreprises des propriétaires ou des fermiers dans le cadre étroit de la structure agricole traditionnelle; aucun bouleversement sérieux de cette structure ne presse, et féodaux comme capitalistes ne cherchèrent pas à opérer en dehors de ses limites. Le conflit entre les partisans du maintien des droits féodaux et ses adversaires se déroula dans le champ clos (si l'on peut dire) de ce même système agraire : le problème fut celui, unique et crucial, de permettre ou non à la seigneurie de prélever sur la production agricole la part non investie qu'elle s'était séculairement arrogée.

Comme il ne s'agit jamais que d'un même cadre agraire, la lutte fut beaucoup plus serrée, au sens où rien n'empêcha les adversaires des droits féodaux de s'immiscer au sein de la seigneurie pour la tirer, par des investissements, du côté de l'entreprise de culture capitaliste. Rien, de même, n'empêcha les féodaux de s'enrichir comme ils le souhaitaient, en affermant le plus de terres et en inféodant leur réserve à la directe. Si bien que seigneurs et gros fermiers capitalistes durent jouer sur le même tableau, chacun cherchant à imprimer un mouvement différent aux profits issus d'une exploitation qui reste, en définitive, sensiblement la même selon qu'elle est dirigée par le seigneur ou gérée par le gros fermier.

Exemple de cette différenciation conflictuelle des intérêts seigneuriaux et fermiers au sein d'un même type de structure agraire : le droit de « troupeau à part ». Les seigneurs ont remis en vigueur le droit pour leurs troupeaux personnels de paître sur le pâturage communal. Ce sont en fait les fermiers qui en profitent, et qui sont considérés par les victimes du droit comme les véritables usurpateurs; en effet, dit à ce propos Albert Soboul,

> « quand il [le seigneur] l'exerçait lui-même, le paysan n'en souffrait guère, le seigneur exploitant rarement. Mais ce droit maintenant entre les mains d'un grand fermier ou d'un marchand de bestiaux, le terroir était envahi par un vaste troupeau au détriment du bétail des paysans [1] ».

On voit bien dans un pareil cas que les intérêts trouvés à l'accaparement des terrains communaux divergent selon qu'ils sont ceux du seigneur ou ceux du fermier; le seigneur voit là une augmentation assurée de ses fermages et une extension de sa propriété; le gros fermier y reconnaît au contraire une possibilité de multiplication de son troupeau, avec toutes les conséquences pour l'organisation de son exploitation, place donnée à l'élevage, quantité d'engrais disponible, surévaluation de l'entreprise... Il y a dans cette divergence des intérêts une évidente divergence des options fondamentales des deux parties : surenchère illimitée des sources de

---

1. A. Soboul : *La crise de l'Ancien Régime*, 1ʳᵉ partie, chap. 3, p. 90.

consommation accrue, pour les seigneurs avides de somptuosités, et espoir d'une plus-value toujours plus fructueuse en capital, pour les fermiers dont les richesses, comme dit Quesnay, « fertilisent les terres ». Mais les uns et les autres poursuivent un programme identique d'extension de leur bien et de leur influence, fondée sur une identique volonté de retirer aux petits paysans la jouissance de terres dont ils sont de toute façon trop pauvres pour profiter. La collusion des bénéficiaires de la crise économique est plus forte que celle des victimes de la féodalité dans les campagnes : la ligne de partage passe non pas par les mille oppositions entre féodaux et inféodés, mais bien par les disponibilités en argent devant la hausse des prix. Les vendeurs d'un côté, les acheteurs de l'autre, les premiers cherchant à multiplier leurs profits au double détriment des seconds, victimes à la fois des menées expansionnistes des accapareurs et de l'écart progressif entre le plus grand enrichissement et le plus grand appauvrissement devant la hausse : telle est la configuration d'ensemble des rapports de force au sein de la structure agraire française en fin d'Ancien Régime.

Les seigneurs peuvent réellement faire appel aux moyens spécifiquement mis en œuvre par les fermiers, sans qu'il y ait là une aberration historique : la collusion des enrichis permet dans une certaine mesure — la mesure de leur communauté d'attitudes et d'ambitions devant la hausse — l'élaboration par eux de projets communs. La réaction seigneuriale, appuyée au besoin sur des expédients tout à fait étrangers à la tradition féodale, n'est pas une illusion d'impossible grandeur. La grandeur de l'exploitation seigneuriale à la veille de la Révolution est très réelle et très possible, par le seul fait d'une situation économique privilégiant *en commun* les seigneurs et les gros fermiers. Nulle impossibilité, donc, à ce que pour jouir au maximum des privilèges de cette situation, seigneurs et fer-

miers fassent en commun ce pacte agraire par lequel ils
étendent leur emprise sur l'ensemble de l'économie
rurale. Le féodal reste lui-même sans devenir le moins
du monde un entrepreneur capitaliste : seulement, il
s'appuie sur les investissements opérés de son côté par
cet entrepreneur capitaliste, qui reste l'élément dynamique de cette course à la plus-value.

> « La hausse des prix combinée avec l'exploi-
> tation capitaliste des droits féodaux promettait
> une plus-value indéfinie. Dès lors pourquoi inves-
> tir ? »

interroge A. Soboul [1], caractérisant ainsi l'attitude à la
fois ouverte vers un autre mode d'exploitation de la
terre — voire un autre mode de production —, et
bornée à ce seul entassement de richesses vouées à la
consommation, qui est tout l'horizon de la classe seigneuriale.

Mais ne perdons pas de vue que cette collusion de
l'enrichissement entre seigneurs et gros fermiers ne
peut se réaliser que dans le maintien d'une structure
agraire traditionnelle, laissée intacte ou presque par les
partisans du renouveau de l'exploitation agricole. De
même, il faut considérer comme la base de cette collusion la hausse des prix qui favorise les gros vendeurs.
Mais là où les seigneurs consolident les bastions du prélèvement féodal et de leur domination archaïque des
campagnes, les gros fermiers installent les bases de
l'édifice capitaliste au sein duquel ils assureront l'hégé-
monie de la grande entreprise de culture et s'ouvriront
aux techniques nouvelles. Leur lutte pour l'enrichissement est celle de toute une classe de capitalistes, destinée à prendre en main de nouveaux rapports de production. Les fermiers jouissent de la hausse aux côtés

---

1. A. Soboul : *La crise de l'Ancien Régime*, 1ʳᵉ partie,
chap. 3, p. 90.

des seigneurs, mais combien ils savent déjà qu'ils en seront, en définitive, les seuls vrais gagnants ! Du fait de leur participation relative à la réaction seigneuriale, l'antiféodalisme trouvera encore des armes, tant la collusion d'accapareurs archaïques et d'accapareurs dynamiques et aux coudées franches, devient pour la masse paysanne un objet d'horreur.

> « Sous le couvert de droits féodaux, l'esprit capitaliste s'insinuait dans les campagnes, les rendant insupportables, en pervertissant ainsi la nature »,

dit encore Albert Soboul [1]. Nous pouvons conclure sur cette remarque, et souligner avec son auteur que la propriété seigneuriale des terres ne constitue plus, à la veille de la Révolution, un modèle dynamique pour l'évolution économique, cependant que le cadre général de la seigneurie reste encore le lieu privilégié de l'enrichissement, par lequel ne peuvent s'empêcher de passer tous ceux qui, vendeurs en temps de hausse, ont droit à cet enrichissement.

Nous voyons donc qu'au sein de l'agriculture s'instaure une coexistence réelle entre deux types de propriété du bien de culture, et que la féodalité s'accommode de cette dernière pour se maintenir puissante aux côtés de ceux qui seront plus tard finalement victimes de la hausse, les champions de l'antiféodalisme. Les antagonismes qui les séparent se résolvent en effet provisoirement dans cette union sacrée de la rente foncière, où se confondent, également triomphants de la hausse, l'accapareur féodal, « accapareur par dimension, par nature, beaucoup plus que par manœuvre [2] »,

---

1. A. Soboul, *op. cit.*
2. E. Labrousse, *op. cit.*, tome I, livre II, chap. 6, § 2, p. 597.

et le grand entrepreneur de culture avide de profits et d'expansion lui permettant de multiplier son capital. Mais quelle est la position de la propriété féodale par rapport à ceux qui, dans d'autres domaines que cette agriculture peu apte aux bouleversements, jouent le rôle que jouent les fermiers dans les campagnes ?

Une coexistence est-elle possible entre les propriétaires féodaux et les maîtres du monde commercial et industriel, et en quoi ces derniers sont-ils susceptibles de menacer la féodalité ?

C'est, du reste, la confrontation de la propriété féodale à ces expressions achevées du développement capitaliste en France, qui permettra de comprendre dans son ensemble ce processus, partiel et favorisé par la conjoncture dans le domaine agricole, mais qui caractérise en fait cette France pré-révolutionnaire : l'assimilation réciproque des éléments progressistes d'un capitalisme en développement par la féodalité, et des éléments de féodalité par ce capitalisme, alors seule forme dynamique de l'économie française. Ainsi apparaîtra vraiment comment peut subsister le féodalisme dans une économie où des forces productives nouvelles engendrent déjà des nouveaux rapports de production. Car l'intégralité de la propriété féodale est bien un élément essentiel à faire ressortir, dans le conflit entre mode de production féodal et mode de production capitaliste qui caractérise la France à la veille de la Révolution.

La propriété féodale, comme nous l'avons vu, reste parfaitement constituée, voire consolidée dans les dernières années de l'Ancien Régime : elle s'exerce, tout au moins, aussi largement que possible. C'est justement cet exercice qui est problématique : la propriété féodale s'exerce, alors que toute la féodalité dont elle participe est remise en question par d'autres formes de propriété. Mais ces dernières sont encore, en 1789, intégrées au mode ancien de production, bien qu'elles parviennent peu à peu à s'exercer aux secteurs-clés de la production en général. L'histoire de la Révolution française est pour une bonne part l'histoire de la transformation en formes possibles du mode de production capitaliste, des formes du mode de production féodal : c'est au cours de la Révolution que s'effectua ce processus où des éléments, dotés d'une certaine fonction dans le mode de production féodal, *virent* au capitalisme qui, par des bouleversements ultérieurs, les dote d'une tout autre fonction. Il faut de ce fait penser très sérieusement, derrière l'effective distorsion entre les insurrections paysannes antiféodales et la révolution bourgeoise, le caractère antiféodal que donne, d'un élan continu, la Révolution française aux conquêtes bourgeoises, et qui la distingue fondamentalement d'une révolution de type cromwellien. Le moment où la féodalité est nommément rejetée par ceux qui, jusque-là, s'en accommodaient, est un moment véritablement révolutionnaire. Il nous faut, dès lors, comprendre la nature et les limites de cet accommodement.

Le mode de production à dominante féodale, tel qu'il se maintient en 1789, contient, au sens où il les comprend et en même temps les réprime, les mouvements d'un capital qui, on l'a vu, a globalement augmenté pendant tout le XVIIIᵉ siècle. L'augmentation de la masse des richesses coïncide parfaitement avec celle des capitaux; ces richesses sont issues du négoce et des affaires en général, activité économique essentielle du XVIIIᵉ siècle. Le négociant qui contribue à l'échange des marchandises canalise le principal de ces richesses. Marx montre que

> « la fortune de celui-ci existe toujours sous forme d'argent, et son argent fait toujours fonction de capital [1] ».

---

1. Karl MARX : *Le Capital,* livre III, chap. 20, p. 335.

Ce capital marchand dépend absolument de la production, posée en préalable à tous les échanges de marchandises. Cette séparation entre la production des marchandises et leur échange par le commerçant marque une profonde et systématique divergence d'intérêts entre les progrès de la production et les progrès du capital marchand. Nous avons vu comment l'amélioration de la production n'entrait pas dans les perspectives de consolidation de la propriété féodale, sinon comme source d'accroissement du prélèvement : c'est à ce type de production non aménagée que le capital marchand d'avant 1789 doit sa fortune. On voit que dans ces conditions le capital marchand est bien l'un des rouages d'un mode de production à dominante féodale, où

> « il apparaît comme la fonction par excellence du capital, et ceci d'autant plus que la production s'avère davantage être production directe de moyens de subsistance pour les producteurs eux-mêmes [1] ».

Le capital marchand fonctionne conjointement au processus de production agricole seigneurial, et la liaison étroite du commerce avec la seigneurie, dans la mesure où il ne la pénètre pas, est un trait important de la situation faite au capital marchand par le régime à dominante féodale. Il ne fait aucun doute que le négoce trouve dans la seigneurie non seulement un allié mais une source réelle de profit et de puissance. Ainsi de la bourgeoisie d'affaires normande, dont les quarante-trois familles havraises ont depuis 1734, investi une partie de leurs bénéfices en domaines ruraux; ces domaines ruraux sont presque toujours des seigneuries. Car

---

1. Marx, *op. cit.*

> « le modèle aristocratique s'imposait aussi à cette bourgeoisie d'affaires : plus que dans la production industrielle, elle investissait en domaines fonciers et en seigneuries. Dans les villes commerçantes et fabricantes, la liaison étroite avec la terre et la mainmise sur les campagnes voisines constituaient un trait essentiel 1 ».

On voit aussi dans l'encouragement par la royauté des nobles à faire du commerce une marque de cette nécessaire coexistence du capital marchand et de la propriété féodale dans un mode de production à dominante féodale. Le noble propriétaire d'une seigneurie peut donc sans « déroger » participer à un commerce maritime ou à un négoce de gros. Que l'échec de cette politique soit quasi-total, cela provient d'obstacles idéologiques liés à une impossibilité pour la noblesse et la bourgeoisie de s'entendre. Mais seigneurie n'est pas forcément noblesse, et la production agricole peu développée de la seigneurie traditionnelle assure, en cette fin de l'Ancien Régime, le fonctionnement du capital en général comme capital marchand. Cela par le fait que Marx énonce en ces termes :

> « Moins la production est développée, plus la fortune en argent se concentre entre les mains des commerçants ou apparaît sous la forme spécifique de fortune marchande 2. »

C'est alors que le problème se pose du maintien du capital marchand dans les limites du mode de production qui a favorisé son essor premier, et qui est largement fondé sur la propriété féodale de la terre; car il

---

1. A. Soboul : *La crise de l'Ancien Régime,* 3ᵉ partie, chap. 16, p. 339.
2. Karl Marx : *Le Capital,* livre III, chap. 20, p. 335.

s'agit bien là de limites : la consolidation de la féodalité peut-elle être supportée indéfiniment par les détenteurs d'un capital marchand toujours plus concentré ?

Ce problème fait surgir toute une série de questions. Combien de temps les bourgeois négociants achèteront-ils des seigneuries plutôt que des domaines à exploiter pour un profit maximal ? Combien de temps toléreront-ils les monopoles seigneuriaux sur le marché ? Combien de temps, en somme, le capital marchand fonctionnera-t-il isolément de la production ?

En France, à la veille de la Révolution française, on peut dire qu'il s'opère une offensive du capital marchand sur la production. Lorsque la fortune marchande est très concentrée, bien qu'indépendante de la production, l'activité commerciale est nécessairement portée à s'en emparer. Le commerce ne peut plus, à un certain degré de son développement, se consacrer à un « simple mouvement intermédiaire entre des extrêmes qu'il ne domine pas et des conditions qu'il ne crée pas », comme l'écrit Marx [1]. Les négociants de 1789 se sont, après une longue période d'ascension, assuré un contrôle réel de la production, et mettent tout en œuvre pour s'emparer de cette production et l'intégrer au commerce. Exemple typique : l'activité du négociant-fabricant, très importante depuis le début du siècle.

C'est d'abord une activité de pur commerce. En 1737, cite Georges Lefebvre,

> « le principal objet des négociants d'Orléans consiste dans la commission. Toutes les marchandises y sont adressées à des commissionnaires par l'entremise desquels la correspondance est établie entre les marchands du lieu de l'envoi et ceux

---

1. Karl MARX : *Le Capital,* livre III, chap. 20, p. 338.

> du lieu de la consommation. Ces marchandises
> se distribuent ensuite... [1] »

On est là au stade d'un commerce qui, selon les mots de Marx, « développe la forme marchandise prise par les produits [2] ». Dans cette circulation autonome par rapport à la production, le produit se transforme en effet en marchandise et, pour la première fois aussi, en argent : il acquiert une valeur d'échange, et c'est là que le négociant devient, au sens de l'époque, « capitaliste » — détenteur d'un capital. « Dans ces circonstances, les petites fortunes se réunissent pour former un capital considérable », selon Savary des Brûlons dans son *Dictionnaire du commerce* [3].

Alors le négociant étend son activité à une coordination des différentes sphères d'où les produits sont susceptibles d'être intégrés au circuit commercial. Il y a là une amorce de spécialisation, dans la mesure où le commerce tend à tenir compte de la spécificité de telle ou telle production, et, par là, l'amorce d'un contrôle de la production. Empruntons-en une fois encore un exemple à Georges Lefebvre [4].

> « Il existe des maisons puissantes, dit, en 1785,
> l'inspecteur Brayard, qui ont continué ce com-
> merce de père en fils, surtout celui des laines
> d'Espagne; ces négociants ont des commission-
> naires dans ce pays et d'autres dans les divers
> ports de la France pour être plus à portée de
> satisfaire sur-le-champ aux demandes des divers
> fabricants du royaume. »

---

1. G. Lefebvre, *op. cit.*, chap. II, § 5, p. 97.
2. Karl Marx, *op. cit.*, p. 336.
3. Cité par Jaurès, *op. cit.*, p. 120.
4. G. Lefebvre, *op. cit.*, pp. 97-98.

N'exagérons pas cette spécialisation : elle n'est pas universelle et systématiquement pratiquée, comme elle le serait dans une société capitaliste; mais elle n'en exprime pas moins, dans la mesure où elle est tentée, une tendance du capital marchand à « dominer ses extrêmes, les différentes sphères de production que la circulation relie entre elles [1] ».

Car ce début de spécialisation, permis par une fortune marchande concentrée dans les mains du négociant, a pour corollaire le contrôle des prix dans chaque branche de la production concernée. La citation de Georges Lefebvre nous le montre encore :

> « C'est à Rouen, dit Brayard, que ces négociants s'assemblent chaque année dans le courant de septembre pour fixer le prix des laines; ce prix, une fois établi, est le même pour tout le reste de l'année [2]. »

Les producteurs n'ont plus qu'à s'y conformer, et se trouvent, eux et les moyens de production qu'ils détiennent, sous la dépendance des négociants.

Cette dépendance se matérialise dans l'activité du négociant-fabricant : le commerçant s'empare d'une production dont il ne détient pas expressément les moyens; il organise seulement le circuit matière première-artisan-produit manufacturé, sur lequel se fonde toute son activité commerciale. Citons la description que donne Jaurès de ce circuit :

> « Donc de riches bourgeois fournissaient au tisserand la matière à tisser et celui-ci, quand il avait achevé son travail entre les quatre murs de sa pauvre maison de village, quand il avait poussé des jours et des jours sa navette, arrêté

---

1. Karl MARX : *Le Capital,* livre III, chap. 20, p. 337.
2. G. LEFEBVRE, *op. cit.,* p. 98.

> seulement par quelques besognes rurales, rapportait au grand entrepreneur la pièce fabriquée [1]. »

On voit que la tendance de ce processus est de priver les artisans de moyens de contrôler un tant soit peu la production. Comme l'a signalé Marx, les petits tisserands deviennent peu à peu des salariés démunis de tout pouvoir d'intervention dans l'organisation des circuits de production. C'est là le lien le plus étroit de ce capital marchand avec le mode de production capitaliste tel qu'il s'établira définitivement en France au cours du XIX° siècle. Un exemple met en évidence une telle parenté :

> « Dans le pays d'Ouche, la fabrication était très spécialisée : l'épingle de laiton. La matière première venait d'Angleterre ou de Suède; les pays de vente s'étendaient jusqu'aux Indes. Le rôle du négociant était donc essentiel. Il s'agissait de fournir à l'artisan villageois la matière première, d'écouler la marchandise, tout en remédiant au manque de moyens financiers chez ces petites gens : ensemble de conditions favorables au développement du capitalisme commercial [2]. »

Mais si, au départ, lesdites petites gens manquent aussi bien de moyens financiers, n'est-ce pas du fait de la ruine des consommateurs peu fortunés par la hausse cyclique et saisonnière des prix agricoles ? Or, à qui la faute ?

> « Misère de la masse paysanne, misère des villes, recul du revenu populaire, et, dans cet

---

1. Jaurès, *op. cit.*, p. 157.
2. A. Soboul : *La crise de l'Ancien Régime,* 3° partie, chap. 16, p. 320.

écroulement universel, bravade de la rente foncière et seigneuriale qui seule se redresse au
plus haut [1]. »

Tel est le tableau de la France à la veille de la
Révolution, révélateur des responsabilités écrasantes
de la rente foncière et de ses bénéficiaires en matière
de recul général de l'économie. On voit donc l'activité
du négociant-fabricant, de même qu'elle débouche
sur un capitalisme commercial puissamment organisé,
prendre sa source et alimenter son dynamisme dans
le mouvement de la rente foncière et seigneuriale, fer
de lance du féodalisme, et dont le prélèvement féodal
constitue véritablement la pierre de touche.

Ouvrons une parenthèse, pour comparer le circuit
de production tel que l'organisent les négociants-fabricants en France à la veille de la Révolution, et le
processus correspondant d'industrialisation de l'artisanat dans un pays où l'on n'a pas noté, tout au long
du siècle, ce mouvement inversement proportionnel
des fortunes devant la hausse des prix : la Pologne
du XVIII° siècle. Nous nous réfèrerons à l'article de
Mariusz Kutczykowski : « Industrie paysanne et formation du marché national en Pologne au XVIII° siècle [2]. » Alors qu'en France, s'il faut disposer d'argent
pour prendre en main la production, le bourgeois seul
peut industrialiser l'artisanat, il s'est avéré tout au long
du siècle qu'en Pologne « les paysans de ces villages
industrialisés disposaient d'argent ». Ainsi, dans les cas
où la fortune monétaire n'est pas concentrée aux mains
d'un seul individu, un regroupement de petits proprié-
taires-producteurs la concentre par une somme de petits
capitaux. C'est ce mouvement que rendent impossible

---

1. E. Labrousse, *op. cit.*, Introduction, p. XIV.
2. *Annales. Economies, Sociétés, Civilisations,* mai-juin 1969,
p. 67.

en France les efforts conjugués de la propriété féodale et de la bourgeoisie marchande, dans le commun intérêt qu'elles trouvent à interdire à tout acheteur — petit propriétaire non stockeur ou simple consommateur — de s'enrichir ou même de se maintenir face à la hausse. Accaparement des terres et transformation en salariat agricole d'une paysannerie de petits propriétaires dont les maigres bénéfices ne suffisent plus à combler le déficit du budget domestique; accaparement de la production et transformation en salariat industriel d'une main-d'œuvre spécialisée, naguère maîtresse de ses techniques et de sa production, mais qui ne peut plus faire face à la hausse vertigineuse du coût de la vie : telles sont les deux faces de cette évolution de la production et de la propriété qui marque en France la crise économique de la fin de l'Ancien Régime.

Là où les prémisses sont différentes, à savoir où la bourgeoisie marchande ne s'est pas jointe à la propriété seigneuriale pour s'enrichir de la hausse des prix, le résultat est aussi foncièrement différent, voire contraire.

> « La faiblesse de la bourgeoisie polonaise, des négociants urbains, explique aussi, dans une certaine mesure, que les paysans aient eux-mêmes organisé la production et la vente en tant que négociants-entrepreneurs »,

écrit encore Kutczykowski; on pourrait ajouter que les disponibilités financières dont disposaient de pareils petits propriétaires ont largement contribué à leur aptitude à organiser cette production. Ainsi, dans cette Pologne féodale, certes, et plus fermement que la France à la même époque, mais où la féodalité et la bourgeoisie capitaliste n'ont jamais encore rien traité ensemble, dans cette Pologne,

> « les centres d'industrie paysanne remplissaient au XVIIIe siècle toutes les fonctions économiques

et commerciales, indépendamment des centres
urbains. C'est précisément ce qui distingue les
centres polonais d'industrie paysanne des mêmes
centres en Europe occidentale. En France, par
exemple... ».

En France, précisément, le mouvement inverse fait
apparaître, par contraste, la nécessaire entente de la
propriété seigneuriale et de la propriété marchande
dans l'instauration de cette structure capitaliste marchande, qui ne peut qu'être transitoire, dans les intérêts
opposés qu'elle représente, mais susceptible, aussi,
d'ouvrir la voie à une structure capitaliste développée.
Structure de transition donc, que cette production
aux mains des négociants-fabricants. L'industrie ainsi
mise en place sert encore exclusivement, en effet, les
fins du négoce. Comme le dit Marx dans son étude
du capital marchand :

« le fabricant de soie dans l'industrie française,
celui de l'industrie anglaise de bas et de dentelles,
n'étaient pour la plupart fabricants que de nom;
en réalité, ils étaient de simples commerçants
laissant les tisserands continuer leur travail dans
leurs vieilles conditions de morcellement; ils représentaient le pouvoir du commerçant pour lequel
ils travaillaient effectivement [1] ».

C'est ainsi que sur près de 30 000 marchands,
ouvriers, compagnons qui produisent à Lyon, de 1777
à 1784, les 60 millions de livres de marchandise annuel-
les de l'industrie de la soie, seuls 400 maîtres marchands
détiennent les capitaux nécessaires et contrôlent réellement la production. Les autres ? Un réseau d'artisans
dont les premiers organisent le travail sous la forme

1. Karl MARX : *Le Capital*, livre III, chap. 20, p. 342.

d'un salariat à domicile. Et c'est bien là d'une organisation du circuit de production qu'il s'agit, et pas du tout de la redistribution proprement industrielle des tâches au sein d'une concentration mécanisée. Les ouvriers de la soie continuent à travailler selon les méthodes d'antan.

> « Le rouet tourne, le métier bat dans la pauvre maison de l'artisan ou du paysan et l'industrie est encore mêlée à la vie agricole [1]. »

Seules les cadences, seul le coût de la production sont maintenant imposés à ces artisans, en vertu du « tarif », par les négociants-fabricants. Jaurès cite de façon éclairante, à ce sujet, une observation du prévôt des marchands de la ville de Lyon en 1789. Ce dernier souligne

> « que les maîtres-ouvriers sont bornés à fabriquer à tant par aune les matières que leur fournissent les maîtres-marchands, que la main-d'œuvre seule est le partage des ouvriers, mais que l'industrie est celui des marchands. Ce sont ceux-ci qui inventent toutes nos belles étoffes et qui, correspondant avec tout l'univers, en font refluer les richesses dans notre ville [2] ».

On ne saurait trouver plus belle formulation de ce processus qui, acquérant ici une dimension universelle, caractérise la montée de la bourgeoisie de négoce, tout comme le maintien de la propriété seigneuriale : l'accaparement.

Par les liens qu'il tisse, littéralement, avec les conditions les plus archaïques de la production, et, comme

---

1. Jaurès, *op. cit.*, p. 155.
2. Jaurès, *op. cit.*, p. 181.

nous l'avons montré, avec les structures les plus ana-
chroniques de la propriété, le capital marchand apparaît comme enraciné dans le mode de production antérieur qu'il contribue, aucun doute à cela, à démanteler.
Et même, comme le montre Marx, ce contrôle de la
production par le négociant-fabricant

> « fait obstacle partout au mode de production
> capitaliste véritable, et il finit par disparaître avec
> le développement de ce dernier. Sans bouleverser le mode de production, il aggrave seulement
> la situation des producteurs directs, les transforme en simples salariés et prolétaires dans des
> conditions plus défavorables encore que celles
> des ouvriers directement soumis au capital, et il
> s'approprie leur surtravail sur la base de l'ancien
> mode de production [1] ».

Cela peut nous servir de conclusion, après que nous
avons cherché à montrer quels rapports déterminent
la coexistence de la propriété féodale et de la propriété
marchande au sein d'un mode de production de type
transitoire. Toutes deux sont simultanément et de
concert responsables d'un appauvrissement des petits
propriétaires, dont elles accaparent le bien. La hausse
de la rente foncière, fondée sur le durcissement du
prélèvement féodal, est le moteur et l'origine nécessaire de tout le mouvement de dépossession de l'artisanat traditionnel par les négociants-fabricants, mouvement constitutif d'un capitalisme commercial en
France. L'ancien mode de production continue de
peser sur les structures nouvelles de la production et
du commerce. Comment peut-il, dès lors, être caractérisé en tant que mode de production spécifique ?

---

1. Karl Marx : *Le Capital,* livre III, chap. 20, p. 343.

Trois phases du développement du capitalisme marchand ébranlent l'ancien mode de production.

Premièrement. — Le mode de production à dominante féodale limite bien au départ le capital marchand en le tenant isolé de la production. Le commerce « n'existe que par des richesses qu'il ne produit pas », selon Quesnay en 1766 [1]. La concentration croissante de la fortune marchande se heurte à cette limite : c'est en cela seulement que le négociant a un rôle révolutionnaire à la veille de 1789.

Deuxièmement. — Le négociant s'empare de la production et transgresse les limites que lui imposait le mode de production antérieur. Mais il redistribue, il ne transforme pas la production; cette voie « n'arrive pas à révolutionner l'ancien mode de production qu'elle conserve comme sa base [2] ». Cette dialectique du capital marchand au sein du mode de production encore fortement imprégné de féodalité que connaît la France à la fin de l'Ancien Régime est véritablement exemplaire du mouvement même de la Révolution bourgeoise. Antiféodalisme et recherche de nouvelles institutions ne trouveront de réel et définitif élan que dans la poussée du mécontentement populaire, et la bourgeoisie de négoce devra bel et bien choisir entre une alliance avec l'Ancien Régime (avec l'abandon qu'elle implique de certains principes de profit maximal). avec les masses populaires (avec l'abandon qu'elle implique de certains principes de profit maximum). Qu'est-ce à dire, sinon que le capital marchand, et les classes qui le détiennent, n'est pas lui-même susceptible de bouleverser l'ensemble des rapports économiques et sociaux qui régissent la production de tout un pays ?

---

1. F. QUESNAY : *Journal de l'agriculture, du commerce et des finances,* février 1766, *Œuvres complètes,* p. 423.
2. Karl MARX : *Le Capital,* livre III, chap. 20, p. 342.

Troisièmement. — Dans ce processus historique, c'est cependant la classe détentrice du capital marchand qui, seule, conquiert les moyens d'exercer sa domination. Elle résoudra le dilemme posé par sa collusion avec le régime des féodaux, en prenant tout simplement la place de ces derniers, sans changer grand-chose aux structures fondamentales de la production. Qu'elle se fasse un moment l'alliée des masses antiféodales, et elle liquidera la féodalité, fera place nette, s'arrogeant dès lors le monopole de l'accaparement.

En conclusion, nous dirons que le capital marchand, par sa réelle puissance dans le rapport des forces productives à la veille de la Révolution, est la forme privilégiée de la propriété qu'a opposé la bourgeoisie révolutionnaire à la propriété féodale, au sein d'un mode de production qui ne connaît pas, lui, de rupture fondamentale. C'est ce transfert de la détention des biens qui permet de comprendre, en dernière analyse, l'issue contradictoire de cette transition opérée par le capital marchand à partir d'un mode de production archaïque. A la propriété féodale toute-puissante, la transition assure la substitution d'une propriété de type nouveau, le capital marchand, et l'installe dans le cadre qu'aide à lui aménager l'antiféodalisme populaire. Quant à la production, elle ne saurait trouver là de quoi être bouleversée. L'état des techniques manufacturières à la fin de l'Ancien Régime ne permet pas de généraliser le processus d'industrialisation que seules connaissent alors quelques entreprises.

« En dernière analyse, industrie cotonnière exceptée, le capitalisme commercial l'emportait toujours : le négociant-fabricant dominait la production. Cette permanence des structures anciennes s'expliquait par l'immutabilité des techniques que le manque de capitaux empêchait de rénover, peut-être plus encore par la prépondérance persistante du travail manuel et l'emploi intensif de la force humaine : le machinisme n'intervenait que comme auxiliaire de la production, le plus souvent il ne la commandait pas [1]. »

Il faut insister sur ce que marque là Albert Soboul, pour battre en brèche toutes les tentatives d'interprétation de cette ère du capitalisme commercial comme ère de révolution des techniques de production. Car n'est-ce pas aussi un moyen de réduire et d'éliminer la poussée révolutionnaire de 1789-1794, que de prétendre que la « révolution » était de toute façon dans l'air, à tous les niveaux de la vie du pays, et, pourquoi pas, dans l'évolution même de l'Ancien Régime ?

Lente progression des techniques manufacturières, et non pas « révolution technique », stagnation générale d'une agriculture archaïque très localement relevée par les efforts de quelques agronomes, et non pas « révolution agricole », et sur ce fond plutôt terne, le scintillement des richesses inouïes qu'ont entassées des décennies de négoce prospère et de rente seigneuriale triomphante : tel est le tableau qui frappe l'observateur de ces dernières années de l'Ancien Régime, et dont les traits généraux sont ceux-là même qui caractérisent le mode de production de la France à cette période. Ce dernier ne sera véritablement bouleversé que par l'intervention de ce machinisme largement diffusé dans les entreprises, qui orientera de façon décisive la production des usines vers la valeur d'échange.

> « Le producteur devient commerçant et capitaliste, en opposition à l'économie agricole naturelle et à l'artisanat corporatif de l'industrie cita-

---

1. A. Soboul : *La crise de l'Ancien Régime*, 3ᵉ partie, chap. 16, p. 332.

dine du Moyen Age. Voilà la voie réellement révolutionnaire », écrit Marx [1].

Cette remarque est valable, nous semble-t-il, pour opposer aussi le développement d'un capitalisme industriel à venir, à cette transition que constitue le capitalisme commercial de la fin du XVIII° siècle, et qui représente encore, certains en feront leur cheval de bataille de 1789 à 1793, les anciennes structures de production.

C'est donc, seulement, avec le soulèvement des classes non possédantes et leur triomphe en 1793 que la Révolution imprimera une direction véritablement antiféodale à un mouvement qui, dirigé par la seule bourgeoisie d'affaires, s'inscrit tout entier dans la survivance des anciennes structures et dans leur simple réaménagement. Ce soulèvement seul permettra aux classes possédantes non féodales de se reconnaître effectivement comme antiféodales, et à celles qui trouvaient un intérêt quelconque au maintien tacite de l'Ancien Régime, de se faire ouvertement ses défenseurs. On voit là toute l'importance, dans l'histoire de cette révolution antiféodale, des types nouveaux de propriété qui s'y instaurent : la redistribution de la propriété permettra à un véritable antiféodalisme de se développer de façon authentiquement révolutionnaire, sur la base d'une structure qui, tant en agriculture qu'en commerce et en industrie, gardait une tendance certaine à demeurer.

La féodalité ne régnera pas impunément : ceux qui se font encore ses alliés, ou seulement ses complices, ceux qui trouvent dans la rente seigneuriale un moyen commode d'arrondir leurs revenus commerciaux, ceux-là finiront bien par s'apercevoir qu'il faut détruire la féodalité et balayer les obstacles qu'elle met au déve-

---

1. Karl MARX : *Le Capital*, livre III, chap. 20, p. 342.

loppement de ces mêmes revenus ou bien — mais lesquels y penseront sérieusement —, à rejoindre ces émigrés « au pays des frimas » ? Ce sera la leçon de ceux qui n'auront vraiment rien à perdre et tout à gagner à la lutte contre la féodalité, la leçon des masses populaires.

CHAPITRE II

LES ANTAGONISMES

C'est du point de vue de la bourgeoisie détentrice du capital marchand qu'il faut envisager les multiples contradictions qui déchirent l'Ancien Régime : les piliers de cet Ancien Régime, les propriétaires féodaux, sont les grands bénéficiaires d'une hausse séculaire des prix qui insuffle par ailleurs un dynamisme nouveau à l'enrichissement des négociants — et ils le sont aussi d'une hausse cyclique qui se retourne, alors, contre le monde des affaires. Aux yeux de ce dernier, la propriété féodale apparaît dès lors également à ménager et à combattre, alliée et ennemie, pourvoyeuse et usurpatrice. Et ce sont bien les hommes de ce monde d'affaires qui conçurent et dénoncèrent comme telles les contradictions de l'Ancien Régime. C'est à eux d'abord qu'il revient de le faire, pour ce qu'ils furent, au plus étroit de leurs liens avec la propriété féodale, ses rivaux impatients de recevoir leur héritage d'un régime qui tardait à mourir. Quant à résoudre ces contradictions, c'est une mission qui n'est pas la leur : elle appartient aux producteurs qui se rendront maîtres des échanges, et non plus aux marchands contrôlant la production. C'est-à-dire aux bourgeois et aux travailleurs indépendants, et non aux grands maîtres de l'économie marchande d'Ancien Régime.

Que la noblesse féodale ait périclité tout au long du

siècle, et se soit ruinée à la défense désespérée de ses dernières prérogatives contre l'assaut de la seule classe montante, la bourgeoisie du négoce, et les contradictions du régime se seraient manifestées d'elles-mêmes, puis résolues au fil des années, en une longue et irréversible agonie. La bourgeoisie aurait poursuivi, simultanément, cette longue ascension, étalée sur deux siècles, et perturbée seulement aux premières confrontations avec une classe laborieuse qui, au XVIIIᵉ siècle, n'a pas encore trouvé ne fût-ce qu'un nom. Alors il n'y aurait peut-être pas eu de Révolution française en 1789. C'est ce que tend pernicieusement à insinuer la thèse du dépérissement de la féodalité : noblesse féodale ruinée, droits féodaux inexistants, et la Révolution devient une flambée de violence pour la violence, une crise de génération, un malaise préromantique répondant au besoin naturel et anhistorique de tout casser, comme osent l'affirmer certains « historiens ». Nier l'importance du féodalisme en 1789, c'est somme toute nier la nécessité véritablement historique de la Révolution, et, qui sait ? placer toutes les productions de la pensée révolutionnaire en dehors de l'histoire qui détermine leur surgissement, et que nous essayons ici de cerner.

Au lieu de cela, nous voyons la classe détentrice du capital marchand devoir poser, rigoureusement et résolument, la question du maintien de la propriété féodale, et ce dans les termes contradictoires qui la caractérisent alors. Le féodalisme fleurit bel et bien et, pour ce qu'il assure une rétention du flot des richesses entre les mains des possédants importants, il fait le jeu du capital marchand. Mais il apparaît de plus en plus comme un facteur de régression économique : blocage des richesses et blocage des progrès économiques et techniques, telle est la corrélation inévitablement établie par le maintien de la propriété féodale, et inacceptable par une propriété marchande à qui l'accumulation des richesses qu'elle ramène systématiquement à elle, permet au contraire d'insuffler une nouvelle dimension et un nouvel élan à la production qu'elle entend, de plus en plus, contrôler et diriger. Son rôle, la bourgeoisie de négoce le comprend comme étant la possibilité acquise par elle de toucher à la production. Il s'agit dès lors pour elle de mettre en place le système qui lui garantirait cette proximité par rapport à la production, et de peser les bienfaits et les méfaits du blocage par la propriété féodale de l'activité économique dans son ensemble.

D'après ce que nous avons vu des rapports de production qui lient dans un même système la grande propriété foncière et le capitalisme marchand, il est probable que la classe détentrice du capital marchand, bien plus qu'à une élimination radicale, procèderait à un déblocage, à un déverrouillage progressif de cet étau dans lequel le féodalisme enserre la vie économique tout entière.

L'abolition systématique et définitive de la féodalité après le soulèvement populaire de 1793 n'eut rien, elle, de progressif. Mais aussi, elle résulte d'une intervention directe des classes laborieuses, alors alliées à la bourgeoisie révolutionnaire, dans le champ politique qu'elle était jusque là seule à régir. D'elle-même, la bourgeoisie qui a, économiquement, le plus d'intérêt à faire place nette sur les marchés et dans la production qu'entravent les monopoles féodaux, ne peut pas jeter à bas d'un jour à l'autre l'édifice, si odieux lui soit-il devenu, où elle a su garder son bien à l'abri des hausses : car c'est là le rôle historique des petits producteurs directs, jusque là évincés du système du profit marchand, et qui ont à sa conquête tout à gagner.

§ 1. Rente féodale et profits commerciaux.

Tout au long de la hausse séculaire et cyclique qui marque la fin de l'Ancien Régime, la fluctuation agricole domine tout le mouvement des prix. « Elle le domine, écrit E. Labrousse [1], de toute la supériorité de l'économie rurale sur l'économie industrielle. » Or l'économie rurale est essentiellement féodale. Les campagnes françaises sont aux mains des seigneurs qui, jaloux de leurs privilèges d'exemption fiscale et des commodités du prélèvement féodal, multiplient depuis le XVII° siècle leur influence, et parviennent à soustraire à l'alleu une bonne partie des terres qu'il recouvre. Dans cette économie rurale féodale, la hausse profite aux propriétaires féodaux et à leurs alliés, vassaux et fermiers, à l'exclusion de tout autre type de propriétaire.

Dans l'industrie, au contraire, et dans le commerce, la crise affecte tout le monde, plus ou moins durement selon la résistance qu'offre respectivement chacun, mais tout du moins uniformément.

> « Le capitalisme marchand et l'artisan, le soyeux et le canut, l'ouvrier d'Elbeuf et Monsieur Decretot, le tisserand picard et Van Robais, chacun paie à la crise un terrible tribut », écrit E. Labrousse [2].

Aussi a-t-on beau, chez tous ces capitalistes de l'époque, rechercher les faveurs des grands gagnants de la crise, on ne leur en garde pas moins rigueur d'être les seuls vrais gagnants, et de braver la hausse, qu'elle soit séculaire, cyclique, ou même saisonnière.

---

1. E. LABROUSSE, *op. cit.,* Introduction générale, p. XV.
2. *Ibidem.*

Représentant en décembre 1787, dans sa pièce *Les Etourdis,* une scène entre créanciers et débiteur, Monvel met dans la bouche d'un marchand cette phrase amère et peu conforme au bel enthousiasme des personnages de Sedaine, vingt-deux ans plus tôt : « Les temps sont durs, monsieur, et tout n'est pas profit : l'on vit comme l'on peut » (III, 5).

Le négoce brimé, le négoce qui doit surtout compter sur ses revenus d'origine seigneuriale pour investir, ressent l'amertume du parent pauvre que la propriété féodale joue de toute façon, alors qu'elle ne fait rien pour faire progresser la production.

> « D'où provenaient les capitaux qui s'investissaient dans le commerce et l'industrie ? Du revenu des domaines ruraux et du loyer des maisons urbaines qui appartenaient à l'aristocratie et à la bourgeoisie citadine, mais pour une bonne part aussi des spéculations du négoce », écrit G. Lefebvre [1].

Cependant, quand ces spéculations connaissent un malaise, quand, comme le dit le marchand de Monvel, « tout n'est pas profit », alors la part laissée aux bénéfices de la rente féodale irrite le négoce ainsi entravé et, plus généralement, tout le commerce et toute l'industrie.

Ces derniers ne voient en effet d'un œil conciliant la structure féodale de la propriété que si elle leur permet de préserver leur capital de la hausse. Ils sont au contraire réduits ici par la rente féodale à l'état de victimes de la crise. Car il s'agit bien de la rente féodale proprement dite, et non d'une quelconque propriété foncière rapportant en proportion de ce qu'elle coûterait.

---

1. G. LEFEBVRE, *op. cit.,* II, § 4, tome I, p. 96.

On a vu comment, dans les provinces, féodalité et grand négoce se donnaient la main, et comment les négociants aisés se souciaient peu d'innovation en matière de propriété foncière, acquérant et organisant des domaines en tous points semblables aux plus anciennes des seigneuries. Et, partout, c'est ce régime féodal jugé par tous anachronique qui, dispensant également sa protection et ses brimades au négoce et à l'industrie, les rend à la fois trop puissants pour des alliés dociles, et trop méfiants pour des défenseurs acharnés de son maintien.

La bravade de la rente féodale, selon le mot d'E. Labrousse, voilà le point précis où, entre la seigneurie et le capital marchand, l'équilibre est en rupture. Car, nous l'avons vu, les antagonismes ne surgissent pas spontanément, tant que le capital marchand fait office de redistributeur des capitaux d'origine seigneuriale à travers les diverses branches de l'industrie et du négoce.

La bourgeoisie acquéreuse de fermages finance à son gré les entreprises, et le bourgeois joue le rôle de grand propriétaire.

« Directement ou indirectement, ses capitaux qui constituent, en raison de l'énorme prépondérance de la propriété foncière, la grande réserve monétaire disponible, irriguent toute l'économie urbaine. Personnage central de la société physiocratique, il [le grand propriétaire] assure la liaison de l'agriculture et de l'industrie [1]. »

Et même, la collusion est patente et recherchée par tous, tant que les manœuvres de la propriété féodale ne bloquent pas l'ensemble de la production et des débouchés, causant alors des pertes sèches dans le

---

1. E. Labrousse, *op. cit.*, Introduction générale, p. XXVI.

négoce et l'industrie, plus soucieux, eux, de leurs investissements productifs que d'une consommation accrue.

C'est donc en se reposant sur la rente féodale que, dans la plus grande partie du siècle, l'industrie manufacturière et le négoce apparaissent comme

« les grands bénéficiaires du progrès économique. La bourgeoisie industrielle et commerçante augmente en nombre et en puissance. Et aussi, ne l'oublions pas, toute la bourgeoisie terrienne, toute l'aristocratie d'affaires, qui a remployé ses fermages dans l'entreprise : le profit industriel et commercial prend alors en relais la rente foncière dont il prolonge et accélère la montée 1 ».

Mais justement, le moment crucial est celui où cette prise en relais s'interrompt au seul bénéfice de la rente foncière et, essentiellement, de la rente féodale, et au détriment d'un puissant capital marchand. Empruntons encore à Labrousse la constatation de cette interruption décisive : la solidarité des victimes des propriétaires féodaux s'étend « aux entrepreneurs de l'industrie dont les produits haussent beaucoup moins que ceux de l'agriculture, dont le profit paraît menacé, et dont surtout les hauts prix cycliques des grains provoquent l'arrêt des affaires 2. »

Telle est la situation concrète dans laquelle se développe, aux tout derniers moments de l'Ancien Régime, de 1787 à 1789, la dénonciation par la bourgeoisie détentrice d'un capital marchand en baisse, des obstacles mis par une propriété féodale qui la brave, au progrès économique.

---

1. E. Labrousse, *op. cit.*, Introduction générale, p. XXVII.
2. *Ibidem, op. cit.*, Aperçu sommaire, tome II, p. 638.

§ 2. La défense bourgeoise des biens
contre l'impôt.

La classe que le capitalisme marchand a enrichie pendant tout le siècle est étroitement liée au régime de l'aristocratie féodale, dans la mesure où elle trouve avec lui des accommodements, et s'entend avec lui comme bénéficiaire de la hausse. « C'est toujours la loi des sociétés déclinantes qu'elles soient obligées, pour leur propre fonctionnement, de faire appel à la puissance qui demain les remplacera », écrit Jaurès [1], et à ce titre, la bourgeoisie a beau jeu de faire celui du féodalisme, dépassé, mais encore garant pour elle d'avantages. Mais lorsqu'assez consciente de cette puissance acquise par elle, la bourgeoisie capitaliste sent se durcir la pression du régime de la propriété féodale, lorsque cette pression devient pour elle un joug — ainsi, la hausse des produits, la contraction des débouchés commerciaux imposées par les manœuvres de la rente féodale —, alors, de toute sa force, elle se redresse pour frapper de ses dénonciations un régime ressenti par elle comme hostile.

La bourgeoisie détentrice du capital marchand, dans son ensemble, a acquis un bien puissant. Ce bien est menacé dans sa prospérité même par les menées d'une classe de propriétaires féodaux qui entreprennent de multiplier impunément leur crédit et leurs possibilités de jouissance. C'est dès lors aux différences de statut régissant leurs biens réciproques que s'en prend la bourgeoisie de négoce pour résoudre le conflit qui l'oppose aux propriétaires féodaux. A grandeur, à fortunes égales, comment se fait-il que ne corresponde pas une égale prospérité devant les hausses conjuguées de 1787-1789, une égale facilité de manœuvre ?

---

1. Jaurès, *op. cit.*, chap. I, p. 112.

C'est que, sur ces biens différents par leur origine autant que par leur utilisation, pèsent des charges différentes. C'est qu'ils n'ont pas le même statut, et que leurs propriétaires respectifs n'en ont pas le même compte à rendre devant l'Etat.

A la collusion de fait des propriétaires-vendeurs au sein de la hausse, la bourgeoisie lésée oppose le droit proprement dit, la différence juridique qui régit l'appropriation respective des fortunes chez les seigneurs et chez les bourgeois. C'est le grand courant du réformisme fiscal qui traverse, avec l'intensité de l'antiféodalisme, tout un siècle de bénéfices bourgeois, et revendique enfin pour leurs bénéficiaires la stabilité de ces acquisitions, à l'heure de la crise cyclique.

Les bases de ce courant sont l'exemption fiscale des seigneurs d'une part, et, d'autre part, la résistance marquée par ces exemptés à toute forme de réajustement du système fiscal, dans les dernières années de l'Ancien Régime : deux aberrations sociales, politiques et juridiques qui hantent la conscience brimée de la bourgeoisie possédante.

Les seigneurs sont encore ici les premiers bénéficiaires de la fiscalité d'Ancien Régime, et les premières victimes du courant antifiscal qui soulèvera bourgeois et masses laborieuses contre une monarchie en faillite. Ils recueillent toujours des profits incommensurables, ces seigneurs d'un autre âge, alors qu'une bourgeoisie en plein essor et forte de son nouveau crédit doit diminuer les siens devant une crise qui paralyse la production tout entière. Ils bravent la fiscalité d'Etat qui écrase les petits consommateurs et affame le peuple. Enfin, ils refusent de concéder aux finances royales le moindre soutien, et s'obstinent à rejeter sur d'autres l'impôt auquel ils soustraient leurs revenus croissants. C'est un modèle d'antiféodalisme révolutionnaire qui surgit de cette objective coalition d'intérêts contre les privilégiés qui jouissent d'un bien rentable de part en part; coalition des privilégiés bourgeois qui voient le leur grevé par la crise, et des masses frustrées qui, elles, n'ont pas de bien, et doivent s'endetter pour payer l'impôt. Ce qui a pour effet, et l'aura, par la suite, sur bien des plans, de placer la bourgeoisie, comme les non-possédants, dans la voie de la conquête du bien usurpé, et de la recherche d'une jouissance sans partage de ce bien, à la place de ceux qui osent en jouir à la faveur de privilèges illégitimes.

C'est contre l'impôt sur la production que se forge la coalition des imposés contre les exemptés; la ligne de partage passe ici encore par le rapport à la production : l'inertie des seigneurs qui bloquent les débouchés agricoles à force de spéculations, et qui, de toute façon, restent par nature en marge du circuit de production, se conjugue là à leur extériorité de droit par rapport à la fiscalité sur la production; les seigneurs ne paient pas les aides, qui frappent toute production orientée vers la valeur d'échange, donc tout producteur qui, à l'inverse du propriétaire féodal, ne jouit pas d'avance d'un bien dont il perçoit infailliblement les fruits.

> « Impôt croissant sur la production, il dresse d'ailleurs contre lui toutes les catégories d'exploitants et de propriétaires », dit des aides E. Labrousse [1].

C'est le nœud d'une union sacrée contre le privilège juridique dont bénéficient les propriétaires, et, par là même, contre le régime qui, octroyant ce privilège, entérine le privilège fondamental, la rente féodale devenue privilège économique et distançant de plus en plus toute forme de rente bourgeoise. La coalition antiféodale est une coalition contre le régime monarchique à base féodale, et l'attaque du régime de Louis XVI est nécessairement ici celle du féodalisme. C'est là que

1. E. Labrousse, *op. cit.*, tome I, chap. VI, § 2, p. 590.

tous se retrouvent, que tous s'entendent, pour mettre fin à ce qu'ils regroupent sous le terme d' « abus de l'Ancien Régime ». Et eux, les coalisés de l'antiféodalisme, ne peuvent à aucun moment dissocier privilège économique et privilège juridique, tant est nécessaire pour eux une lutte simultanée contre l'enrichissement des féodaux à leurs dépens, et contre l'impunité de cet enrichissement que nul impôt ne vient grever.

De l'intérieur du régime royal est seulement pensable une dissociation de ces deux séries : ne peut-on racheter le privilège économique de la rente féodale par une imposition proportionnelle aux bénéfices, corriger l'injustice des parts de richesse par leur hiérarchisation fiscale, les bénéficiaires de la hausse des prix pouvant alors justifier ce qu'ils accaparent par ce qu'ils paient à ce titre ? C'est la question que l'on se pose au sein du régime de Louis XVI. « La fiscalité royale aux abois rôde pendant tout le siècle autour de la rente du grand propriétaire privilégié », selon Labrousse [1]. En 1787, quand le trésor royal est vide, et les coffres des seigneurs débordants des richesses amassées au détriment de toute une nation, une assemblée de notables tente de remédier à la crise en mettant au point un programme d'imposition des féodaux. Calonne y pose en principe : « C'est dans les abus mêmes que se trouve un fonds de richesses que l'Etat a le droit de réclamer et qui doivent servir à rétablir l'ordre. » Point de vue interne au régime, que ce dernier : les classes antiféodales coalisées et contre l'enrichissement des féodaux et contre le système qui le favorise, n'ont aucun intérêt à « rétablir l'ordre ». Elles savent du reste que l'ordre du privilège économique est aussi l'ordre du privilège juridique, et que, s'il y a abus d'un côté, il ne peut y avoir correction et rétablissement de l'autre. La bourgeoisie pourrait-elle

---

1. E. Labrousse, *op. cit.*, tome II, Aperçu sommaire, § 2, p. 630.

s'y tromper, elle qui, complice de l'enrichissement des propriétaires féodaux comme vendeuse et détentrice d'un capital, s'en voit finalement écartée, incapable de résister à la toute-puissance juridique qui sert les intérêts exclusifs de la rente féodale ? De fait, la tentative d'imposition des grands propriétaires échouera; le « fonds de richesses » que s'est approprié, à force d'abus, la classe des seigneurs, cette classe compte bien en jouir immédiatement, et il serait absurde qu'elle le mît à la disposition de l'Etat.

La bourgeoisie et tous ceux qui se lient avec elle comprendront deux choses de cette leçon : premièrement, que pour jouir des biens accumulés aux mains des féodaux, les classes antiféodales doivent en démunir ces derniers, en empêchant avant tout que des richesses n'entrent à nouveau dans leurs coffres, même à titre de compensation, de façon immédiate. On les remboursera éventuellement, mais *a posteriori*, comme le prévoira le programme de rachat des droits féodaux élaboré par la Constituante : on est bien aux antipodes de ce que préconisait Calonne, et les féodaux sont dès lors appelés à être les débiteurs de l'Etat, là où ils étaient simplement tenus d'en être les créanciers. Deuxièmement, la coalition antiféodale comprend que, sur un Etat privé du « fonds de richesses » jalousement conservé par la féodalité, elle est à même de faire pression, elle qui dispense ses capitaux, elle qui investit, elle qui a part, en produisant et aussi en rendant fiscalement compte de cette production, au développement économique de l'ensemble de la nation. Elle seule, et pas l'administration d'un Etat gardien du système féodal de la propriété. Car si ce sont les seigneurs qui en détiennent pour une plus grande part les richesses, ce sont les bourgeois en général qui contrôlent, de plus en plus, les grandes orientations économiques de cet Etat. Devant l'incapacité et le refus de la noblesse féodale de participer à un renouvellement des cadres poli-

tiques et économiques de la France, la bourgeoisie
entière, entraînant avec elle toute une masse de coalisés
contre l'Ancien Régime, prend conscience de sa vocation : à elle de prendre la défense des victimes du
privilège économique et du privilège politique qui se
conjuguent dans le privilège juridique d'exemption
fiscale accordé à la rente féodale en hausse. A elle de
jouer précisément le rôle politique inverse qui se super-
pose au rôle économique inverse de celui des propriétaires féodaux, et débouche sur la revendication pour
la bourgeoisie et ses alliés d'un statut juridique inverse
au sien actuel devant l'impôt.

La revendication fiscale semble bien constituer l'articulation du développement économique de la bourgeoisie et de sa vocation politique révolutionnaire, en ce
qu'elle est le lieu exact de la prise de conscience par la
bourgeoisie de ce qu'elle est à la fois lésée et puissante,
laissée pour compte, mais en même temps capable de
l'impact le plus grand sur un Etat qu'elle se met à
considérer comme son débiteur. La solution de rechange
ébauchée sans enthousiasme par Calonne, et qui faisait
du même Etat le débiteur de la classe féodale, est ici
doublement inacceptable par cette bourgeoisie avide
de changement. Parce que ce ne peut être entre les
féodaux et le pouvoir royal que se décidera un nouvel
ordre fiscal. Mais aussi parce que le problème n'est
nullement de faire de l'Etat un débiteur de la classe
politiquement dominante, et qu'il s'agit de toute manière
de rendre à cette classe — la bourgeoisie détentrice du
capital marchand — la place que son importance économique lui valait depuis longtemps dans le fonctionnement global de l'Etat, place de créancière, de
conseillère, de gestionnaire principale des intérêts nationaux.

§ 3. La nouvelle conscience bourgeoise.

Au fur et à mesure qu'elle s'enrichissait aux côtés de la grande propriété féodale et qu'elle devenait sa rivale économique, la bourgeoisie détentrice du capital marchand prenait confiance en son essor et en ses facultés sans cesse multipliées. Plus elle pouvait comparer son crédit grandissant à la toute-puissante richesse de la féodalité, plus elle en revendiquait la suprématie, au détriment des biens féodaux mal gérés et jamais investis dans la production. Au nom de l'utilité, de l'efficacité, du bien-fondé perpétuel de ses entreprises, la bourgeoisie d'affaires, aile marchante de la bourgeoisie en général, prétend être entendue et accaparer, pour ainsi dire, l'attention du gouvernement.

Mais à la veille de la Révolution, lorsque sur cette bourgeoisie sûre d'elle s'abat, juste retour des choses, la crise cyclique que provoquent montée des prix et blocage des débouchés commerciaux, le mouvement se précipite, le capital marchand, freiné dans son accumulation et censé mériter le crédit qu'on lui dénie, se révolte.

C'est d'une spoliation, et non plus d'une indifférence à son égard, que s'indigne dès lors la bourgeoisie française. Les incohérences de l'Ancien Régime deviennent les abus de l'Ancien Régime. La bourgeoisie ne joue plus seulement le rôle de classe économiquement dominante, mais aussi celui de classe brimée à tous les niveaux : ce qui suffit à une classe pour se révéler dans sa vocation révolutionnaire. La bourgeoisie ne joue plus de sa seule splendeur économique pour revendiquer une place de choix dans la direction de l'Etat, elle la revendique en même temps que les biens mobiliers que l'absence pour elle de cette place lui a fait perdre.

Sans la faculté illimitée d'enrichissement dont jouit,

improductive et exempte d'impôt sur la production, la propriété féodale, la propriété marchande pourrait conquérir son droit au pouvoir politique et consolider son propre enrichissement; c'est-à-dire que, si elle avait sa place au gouvernement, elle saurait mener à bien ses propres intérêts et cesser de favoriser ceux de la propriété féodale, boulet inutile de l'économie française 1.

La revendication bourgeoise prend donc une autre âpreté aux moments les plus cruciaux de la crise de sous-production des années 1787-1789. Nous l'observerons dans l'examen de textes littéraires, où le thème idéologique du mérite bourgeois varie assez bien, dans ses connotations principales, pour que nous puissions y déceler, comme en effigie, l'impression du mouvement ayant affecté la conscience bourgeoise pendant les trois dernières décennies de l'Ancien Régime. Cet examen

---

1. Ce qui échappe alors à la conscience de la bourgeoisie possédante, c'est que, pour devenir véritablement révolutionnaire, elle devra inverser le mouvement qui, du commerce, la porte à s'emparer de la production : c'est aux producteurs d'entrer en force dans le circuit des échanges. Le capital marchand se trouvera donc bientôt devant une alternative contradictoire : ou bien il travaille aux côtés des masses antiféodales à la libération, pour lui devenue indispensable, de l'économie, et ce faisant il contribue à l'accession des petits producteurs directs au contrôle des marchés, ce qui va contre sa propre vocation; ou bien il conserve tout à la fois cette vocation et ses impasses, puisque le féodalisme étrangle maintenant le capital marchand qui fut son plus précieux mercenaire. Que faire ? La bourgeoisie détentrice du capital marchand ne peut plus se vouloir elle-même dans les formes de sa vocation traditionnelle : qu'il serve le féodalisme ou la révolution, le capital marchand est condamné comme contrôle du marché sur la production. Les seigneurs le ruinent, les patriotes donneront le coup de grâce à ses espoirs de compromis. Ni féodalisme, ni second servage : la voie véritablement révolutionnaire est dans le capitalisme des producteurs indépendants. Et la révolution bourgeoise n'en servira pas d'autre. D'où la cruauté du choix qu'auront à faire certains grands bourgeois en 1789 et en 1792.

sera placé en manière d'exergue à l'analyse, qui suivra, de la variation des thèmes de l'appropriation et du bien dans les productions idéologiques des classes possédantes antagonistes, au moment où éclate la Révolution française.

CHAPITRE III

LE SPECTACLE
DES ANTAGONISMES

C'est dans les spectacles que s'offre d'elle-même et de ses vicissitudes la bourgeoisie française pré-révolutionnaire, que nous voulons ici déceler son image de marque, ses thèmes favoris, tels qu'ils traduisent le plus expressément l'évolution de sa conscience à l'égard de ses intérêts, et qu'ils figurent, en les personnifiant sur la scène théâtrale, les rapports au bien des classes possédantes de l'Ancien Régime finissant.

Chacune des trois pièces que nous envisagerons maintenant met en scène un type singulier de rapports, chacun de ces types constituant à notre sens une génération spécifique, un moment crucial des rapports globaux entre possesseurs bourgeois et possesseurs féodaux, et de leur histoire.

§ 1. La génération de la coexistence :
« Le Philosophe sans le savoir »,
de Sedaine (1765).

La parole maîtresse à mettre en exergue de ce texte est sans doute cet acte de foi du négociant en l'avenir de sa classe : « Mais, dans un siècle aussi éclairé que celui-ci, ce qui peut donner la noblesse n'est pas capable de l'ôter. » (Acte II, scène 4.) Foi en le « siècle », c'est-à-dire en un contexte historique foncièrement favorable à l'essor d'une classe encore minoritaire au siècle précédent. Foi en les « Lumières » de ce siècle, c'est-à-dire en la reconnaissance publique de cet essor, et en la lumière enfin faite sur l'incurie de la hiérarchie économique et sociale traditionnelle, sur les réels mérites de la bourgeoisie d'affaires qui en a été si longtemps rejetée. Foi, enfin, en une équivalence instaurée entre le privilège économique de fait — « ce qui peut donner la noblesse » — et le privilège politique et social de droit — la noblesse non ôtée et même reconnue à qui sait la mériter. Conquérant la primauté économique, la bourgeoisie détentrice du capital marchand ne peut, aux yeux du négociant de Sedaine, que conquérir aussi une place de choix au sein du monde politique. C'est, somme toute, une affaire de préjugés à combattre; nulle place, dans cet optimisme, pour envisager un instant une éventuelle réaction de la propriété féodale et de l'aristocratie au pouvoir. On est encore à un stade où le conflit entre les deux classes et les deux propriétés, bourgeoise et noble féodale, *n'est pas pensé comme conflit mais comme rivalité :* son règlement passe par un réajustement des statuts sociaux respectifs des deux classes, par une réévaluation de la bourgeoisie par rapport au féodalisme.

Formulation type de cette position idéologique du problème : le recours à la raison destructrice des préjugés, la raison des philosophes et des savants du XVIIIᵉ siècle, ici invoquée pour légitimer, face au droit des feudistes, la fortune et la puissance bourgeoises. Monsieur Vanderk père, négociant, clame à son fils : « Un préjugé ! Un tel préjugé n'est rien aux yeux de la raison. » (Acte II, scène 4.) Ce préjugé, c'est toute la hiérarchie sociale maintenue par le féodalisme : la raison se voit ici confier le rôle révolutionnaire de démanteler cette hiérarchie établie. Elle est le référent idéal du conflit entre propriété acquise et propriété déjà là, qui exprime l'antagonisme entre la bourgeoisie puissante mais sans titre, et la noblesse titrée et privilégiée. C'est un point de vue critique qui est ici pris pour examiner le rapport des fortunes, des titres, des privilèges : à quelles conditions peut-il exister un ensemble de droits tel que celui dont jouissent les féodaux ? Leur bien, donné d'avance, et d'avance fructueux, est-il légitime, et le crédit qu'il leur confère auprès des divers organes du gouvernement est-il, dans ces conditions, lui aussi légitime ? A la question faite sur la personne du négociant : « Mais enfin en lui-même qu'a-t-il de respectable ? » (acte II, scène 5), Monsieur Vanderk père répond, rigoureusement critique : « De respectable ! Ce qui légitime dans un gentilhomme les droits de la naissance, ce qui fait la base de ses titres : la droiture, l'honneur, la probité. »

Souci de donner un fondement aux droits et aux titres, donc, mais un fondement extérieur au système de la possession proprement dite : les qualités morales qui fondent en droit et en fait la puissance sociale et économique des nobles féodaux sont aussi celles des négociants qui représentent ici la bourgeoisie. Dès lors, que commande la raison, sinon un alignement des droits sur les fortunes, des titres sur les disponibilités, vraies expressions des qualités naturelles d'une classe ? La raison comme critère opérant de cette critique radicale semble ici mesurer exactement la rivalité très étroite des fortunes bourgeoise et féodale : il s'agit non seulement de s'interroger sur la nature des droits et des fortunes et de réapprécier leurs rapports, mais encore de consacrer la possibilité même d'une telle démarche. En décrétant légitime, au nom du critère universel d'une raison fondant la propriété sur la probité, le système des titres et des droits dont jouit la féodalité, on instaure du même coup la légitimité, tout aussi nécessaire et universelle, de toute forme concurrente de propriété, et de sa place dans le même système. La bourgeoisie ne veut ici se faire reconnaître qu'à l'intérieur de ce système, et la revendication de cette reconnaissance passe par sa propre reconnaissance de la légitimité féodale; le gentilhomme est l'image même de cette harmonie voulue par la raison entre des qualités naturelles et les privilèges qui en sont la légitime conséquence.

C'est ce modèle que revendique, pour s'y conformer, la bourgeoisie florissante de M. Vanderk père. La réévaluation des titres de la bourgeoisie détentrice du capital marchand, ici prônée par ce dernier, s'opère en toute légitimité à une période donnée de son histoire, à un stade donné de son développement, où elle ne peut pas manquer d'être faite. Elle est raisonnable, elle est fondée dans une nécessité historique perçue comme irréversible par cette bourgeoisie, et elle doit faire les preuves de sa validité. Son critère déterminant, en fonction duquel elle est revendiquée, doit être l'image même de la rigueur : la raison. Son objet approprié doit être, en tant qu'ordre incohérent à détruire, l'image même de l'incohérence : le préjugé. Là où, dans des temps plus cruciaux, une force nouvelle voudra jeter à bas un système d'abus, il ne s'agit encore, en ces temps de rivalité complice, que de faire la part du légitime et de l'illégitime, du cohérent et de l'incohérent, au sein du système qui garde, depuis des siècles, les intérêts de la féodalité. S'il y a du bon et du raisonnable dans ce système, qu'on le conserve, et qu'on en fasse même le modèle de tout ce qui doit entrer dans ce nouvel ordre souhaité par la bourgeoisie, et où « la droiture, l'honneur, la probité », d'où qu'ils émanent, ont la vertu de conférer le pouvoir politique.

Ne pas se rendre à l'évidence de cette nécessité raisonnable, c'est tomber dans le préjugé : les contradictions de l'Ancien Régime sont pour le négociant de Sedaine des défauts, appelés à être corrigés, et non pas des vices intrinsèques. Et de même que l'on peut trouver du légitime dans la hiérarchie féodale aussi bien que dans la richesse bourgeoise, de même, il y a chez tout le monde une tendance naturelle au préjugé social. Ainsi, M. Vanderk père tente-t-il de libérer son fils de tout préjugé en l'abstrayant de ses véritables origines sociales, et en lui cachant jusqu'à sa majorité les titres de noblesse de sa famille : le jeune négociant, se sachant bien né, serait lui aussi victime d'un préjugé social qui lui interdirait une juste appréciation de ses mérites. Son père lui avoue donc : « Par une prudence peut-être inutile, j'ai craint que l'orgueil d'un grand nom ne devînt le germe de vos vertus; j'ai désiré que vous les tinssiez de vous-même » (acte II, scène 4). Encore une fois, le bourgeois montre son souci de la légitimité universelle et objective des conditions, et de substituer, à ce qui confère une noblesse sans fondement, ce qui doit infailliblement la donner et interdire qu'on l'ôte.

Le différend entre la classe des propriétaires bourgeois et celle des propriétaires féodaux est donc pensé par les premiers sur le mode d'une évaluation critique, chargée de fonder en droit et de faire reconnaître une équivalence de fait entre les fortunes respectives des deux classes. Les critères de la démarche sont universels, figurant ainsi parfaitement la symétrique ordonnance dans laquelle la bourgeoisie capitaliste se propose de ranger, à richesse égale, les titres et le crédit acquis par elle, et ceux détenus depuis toujours par la noblesse féodale. A l'équivalence de fait des fortunes, des activités, de l'utilité, correspond nécessairement l'équivalence de droit du crédit politique et social. Mais c'est le principe de cette équivalence que veut surtout instaurer la bourgeoisie, et dans ses thèmes idéologiques, elle privilégie l'aspect formel de cette revendication égalitaire, en faisant du préjugé ou de la mauvaise évaluation des mérites, le nœud du système de privilèges qui la jette au bas de la hiérarchie féodale des classes possédantes. Ce qui prévaut dans la profession de foi de M. Vanderk père, c'est la possibilité de passer d'un état à l'autre, c'est la multiplicité des communications éventuelles entre la qualité de négociant et celle de gentilhomme : tous les possédants se valent, tous répondent aux mêmes impératifs et aux mêmes critères moraux, et les distances qui les séparent relèvent moins d'un antagonisme réel des deux classes que d'un préjugé facile à éliminer.

M. Vanderk père illustre lui-même le caractère naturel de ce passage d'une classe à une autre et, partant, de l'intégration indifférenciée de toute classe possédante dans le système social d'Ancien Régime. Par son activité de négociant, il redonne à sa famille, noble d'origine, les biens que, de grandeur en servitude féodales, elle avait perdus :

> « J'ai déjà remis dans notre famille tous les biens que la nécessité de servir le prince avait fait sortir des mains de nos ancêtres » (acte II, scène 4).

C'est donc là une vaste circulation des biens qui est instaurée entre la propriété féodale et la propriété marchande; les biens ne sont pas réellement perdus par la noblesse féodale brimée par la monarchie absolue, ils ne font que sortir, provisoirement en quelque sorte, de ses mains pour être récupérés par d'autres possédants. Et M. Vanderk père fait comme si c'étaient les mêmes biens qui ainsi entrent et sortent, chaque classe étant à son tour irriguée par ce flux indifférent et continu. Remplacement complet donc, d'une série de biens par une autre : M. Vanderk, ex-gentilhomme, a refait sa fortune sous le nom d'un négociant hollandais, et cette fortune, dans son contenu, est équivalente à l'autre, elle n'a fait que changer de nom. Sous deux signes différents, la même richesse demeure, intégralement convertible.

Au sein de cette circulation, pourrait-on dire, rien ne se perd et rien ne se crée; jamais il n'est fait mention d'une quelconque perte ni, du reste, d'un quelconque gain par lesquels se solde le remplacement d'une série de biens par une autre. Les biens avaient fui, il fallait en acquérir de nouveaux, comme on change un mobilier usagé. Mais le château féodal s'est fait hôtel bourgeois, et à un mode d'acquisition de la richesse, M. Vanderk en a substitué un autre, lorsque le premier a failli. A ce titre, les raisons de cette faillite ne sont pas ici indifférentes : « la nécessité de servir le prince », autrement dit la mise de la puissance féodale sous la coupe de la monarchie centralisée, depuis plus d'un siècle, a pesé sur la richesse féodale d'un poids parfois fatal. C'est donc que, dans l'optimisme bourgeois de M. Vanderk père, l'accumulation capitaliste s'inscrit dans la suite de cette nécessité historique qui a marqué l'incompatibilité de la richesse féodale avec certaines formes de l'Etat moderne. La richesse marchande vient ici naturellement remplacer, au siècle de l'autorité royale et du pouvoir centralisé, les fastes concurrents des grands féodaux. M. Vanderk a beau jeu d'invoquer les lumières de son siècle : il a conscience de se trouver dans le sens du progrès historique, et de représenter la forme de propriété la plus progressiste, devant occuper la plus grande place aux yeux du pouvoir central.

Le cadre donc, change, si le contenu remplit les mêmes fonctions : c'est la période de cette fin d'Ancien Régime où la bourgeoisie prétend, avec les moyens dont elle dispose, combler les trous faits dans la production et les échanges par les manques de l'économie à dominante féodale; point encore, à ce moment, de trace d'une volonté de dépouiller la propriété féodale et de lui interdire toute survie : la fortune prend un autre nom pour s'amasser et s'ériger en puissance sociale, non pas usurpatrice, mais concurrente de la première. Les biens de M. Vanderk père et de sa famille sont, à travers l'immense hiatus du changement de condition, restés identiques à eux-mêmes, vivante image d'une collaboration des classes propriétaires bénéficiant de la hausse séculaire. Comme le bien du gentilhomme a été remplacé par celui du bourgeois, celui du féodal par celui du capitaliste, il peut encore subir de multiples transformations, toujours possibles puisque ce bien a été légitimement acquis : en le léguant à son fils, M. Vanderk père lui donne toute licence de le convertir en rente féodale. Ainsi :

> « Ils seront à vous, ces biens; et si vous pensez que j'ai fait par le commerce une tache à leur nom (celui de vos ancêtres), c'est à vous de l'effacer » (acte II, scène 4).

C'est le nom qui est encore invoqué, ce nom qui fait ici fonction de raison sociale, recouvrant des biens qui donnent droit à un ensemble de titres dont jouit celui qui les possède, quel qu'il soit.

Jamais on ne démontrera mieux la validité des fortunes bourgeoises qu'en les traitant anonymement, en les rendant transposables dans les mains de tout propriétaire : c'est revendiquer la légitimité de leur seul contenu, et non faire figure d'accapareur, que de prôner la convertibilité indéfinie des biens acquis par la classe bourgeoise détentrice du capital marchand.

Il va sans dire que M. Vanderk père ne compte pas vraiment prendre un autre état, ni même en donner l'envie à son fils : la maison Vanderk, négociants de père en fils, est à construire sur les ruines de leur fortune de gentilshommes. Mais pourquoi le fils, faisant ainsi la preuve de la valeur universelle de ses biens accumulés, n'embrasserait-il pas d'un même coup l'état de négociant et l'état de gentilhomme, comme l'ont fait, dès le règne de Louis XV, maints bourgeois enrichis ? Ainsi, l'exemple illustre de Pierre Clérissy, propriétaire de la manufacture de Moustiers, « la plus belle et la plus fine du royaume » à en croire « le voyage français » de l'abbé Delaporte. Pierre Clérissy achète en 1747 la seigneurie de Trévans et la charge de secrétaire du roi au parlement d'Aix; en 1774, il est anobli et devient le « baron faïencier », seigneur et baron de Roumoules. Pour se retirer sur les terres de leur père, ses fils vendront en 1783 la fabrique, pour 16 000 livres : étrange mouvement de reconversion d'une fortune bourgeoise que celui-là. Mais de cette fortune, le baron de Roumoules, ex-faïencier, pourra dire en prélevant son champart qu'il l'a légitimement perçue et acquise.

Comme le fabricant de Moustiers, M. Vanderk peut, vers le milieu du siècle, faire reconnaître sa puissance économique en entrant dans la vie publique, ou tout du moins en jouissant publiquement d'un haut crédit.

> « Le ciel a béni ma fortune, je ne peux pas être plus heureux, je suis estimé. Voici votre sœur bien établie; votre beau-frère remplit avec honneur une des premières places dans la robe. Pour vous, mon fils, vous serez digne de moi et de vos aïeux... » (acte II, scène 4).

C'est la perpétuation de la fortune ancestrale, l'accès du bourgeois aux cadres de la vie publique, le remplissement par un bourgeois négociant de ses responsabilités de fils de l'Ancien Régime, c'est cet ensemble qui constitue l'idéal de la première génération pré-révolutionnaire, représentée par le bourgeois optimiste qu'est M. Vanderk père.

Telle est donc cette conquête définitive de la notabilité d'Ancien Régime par un bourgeois, dont M. Vanderk, gentilhomme ayant compris la nécessité de se faire bourgeois pour avoir des droits sur des biens mal gérés par la noblesse, est le modèle achevé.

A cette conquête, fondée par une critique méthodique

de la possession des biens à l'intérieur du système de propriété à base féodale, s'oppose la réaction de défense du système, l'incompréhension manifestée à l'égard des forces nouvelles par une structure sociale agressée, que figure la sœur de M. Vanderk. Cette dernière jouit, tout autant que le négociant lui-même, de son accession à la propriété et à la notabilité, qui non seulement ne la menacent pas dans ses titres de noblesse, mais bien plus la comblent. Mais elle rejette le droit du bourgeois en tant que tel à cette fortune, et ne le reconnaît pas *à la fois* comme bourgeois et comme possédant concurrent. Ou bien comme bourgeois elle le méprise, ou bien comme possédant, elle l'encense, le rejetant d'une part en dehors du système et d'autre part l'y enfermant. Ainsi, dit M. Vanderk à son fils :

> « Elle jouit de tous les revenus des biens que je vous ai achetés, je l'ai comblée de tout ce que j'ai cru devoir satisfaire ses vœux : cependant elle ne me pardonnera jamais l'état que j'ai pris; et lorsque mes dons ne profanent pas ses mains, le nom de frère profanerait ses lèvres » (acte II, scène 6).

Cette marquise-là semble être une figure assez exacte de l'autorité d'Ancien Régime, de la structure sociale cloisonnée et du conservatisme politique étayés par la hiérarchie féodale : économiquement favorisée par l'activité des négociants et de toute la bourgeoisie d'affaires, la société d'Ancien Régime les rejette encore de ses honneurs, ne les nomme pas comme ses maîtres, ne leur accorde pas le titre que leur conférerait leur valeur réelle. Alors que la bourgeoisie n'aspire qu'à une collaboration fraternelle avec les autres classes possédantes au pouvoir, fussent-elles féodales, le pouvoir que représentent ces classes refuse le principe même de cette fraternité, et, si de fait il vient à la mettre en pratique, il la rejette en droit, d'autant plus âprement. Ainsi :

> « Voilà, dit M. Vanderk père, comme un hon-
> neur de préjugé étouffe les sentiments de la nature
> et de la reconnaissance » (acte II, scène 6).

La nature vient encore ici à point seconder la légitimité matérielle dans une démarche visant, le négociant
le dit bien, à la *reconnaissance* de la bourgeoisie comme
classe dominante. La nature ici, c'est la cohérence
ordonnée des critères de possibilité d'une prépondérance sociale et politique : c'est la fraternité « quand
même » de la puissance économique et de la distinction
sociale, que réunit dans une même grandeur politique
leur continuité naturelle. Le problème est là, pour toute
la bourgeoisie marchande au nom de laquelle parle
M. Vanderk père, de faire reconnaître à un régime tout
plein de la hiérarchie féodale, les droits que lui confère
sa puissance économique : M. Vanderk a bien du mal
à amener au mariage de sa fille avec un président, sa
sœur marquise. Il confie à son fils :

> « Et l'idée de noblesse est si forte en elle, que
> je ne lui aurais pas persuadé de venir au mariage
> de votre sœur, si je ne lui avais écrit qu'elle
> épouse un homme de qualité » (acte II, scène 6).

La démarche est considérée comme possible, et tentée par le bourgeois : il obtient de sa rivale noble un
début de reconnaissance, il conçoit enfin sa propre
réunion à la noblesse au pouvoir, la marquise intransigeante entre dans le cercle de famille, elle n'est plus
l'inaccessible étrangère. Et M. Vanderk ne cesse de
faire pression sur elle, tenu qu'il est par l'espoir et la
certitude de conquérir auprès d'elle dignité et crédit;
le système, somme toute, reste bon, et malgré ses inconséquences, la marquise reste une référence « naturelle »
de la famille Vanderk : « elle est cependant la meilleure
des femmes » (acte II, scène 6), la sœur à qui l'on

pardonne forcément ses défauts, et pas l'ennemie de classe.

Mais M. Vanderk, s'il la peut rendre accessible aux siens, n'en laisse pas moins sa sœur demeurer une étrangère dans la maison bourgeoise où elle consent de se rendre. « Encore a-t-elle mis des conditions singulières », dit son frère, à cette démarche; ainsi, elle tient à passer pour « une parente éloignée », « pour une protectrice de la famille » (acte II, scène 6). Rupture de la fraternité légitime, de la fraternisation naturelle revendiquée par le négociant, reconnaissance partiale, et encore compliquée de préjugés, telles sont les formes principales de la collaboration de classes que figure l'entrée de la marquise dans l'hôtel bourgeois des Vanderk. Le négociant, lui, ne mettra pas les pieds chez sa sœur, n'accédera pas aux sommets d'une hiérarchie trop féodale pour admettre sa roture : le système ne peut pas évoluer de lui-même, il est et reste dévoué à la noblesse hautaine retirée dans ses terres, et qui vient visiter les bastions bourgeois tolérés à force de revendications pressantes. La bourgeoisie n'est incluse dans ce système que de façon marginale, à titre protecteur, et encore est-ce elle qui par sa tenace insistance s'y est ménagé cette brèche : jamais elle n'y aurait été appelée.

M. Vanderk père voit là tout son horizon. Se révolter contre les protections trop condescendantes auxquelles se résout la marquise ?

« Pourquoi ? Elle est ainsi, mon fils; c'est une faiblesse en elle, c'est de l'honneur mal entendu, mais c'est toujours de l'honneur » (acte II, scène 6).

L'Ancien Régime a ses faiblesses, il faut les combattre, mais comme faiblesses, et non pas comme abus, comme marques d'un système radicalement corrompu. Là où la bourgeoisie rentrera dans ses droits, comme

M. Vanderk père est rentré dans ses biens, les faiblesses du régime seront des forces, des raisons pour lui de se perpétuer. Et finalement, cette bourgeoisie soucieuse d'affirmer ses droits et ses titres au sein de l'Ancien Régime, ne souhaite qu'à contribuer au réaménagement de ce dernier, et à lui éviter la ruine que ses inconséquences d'ordre anachronique lui vaudront tôt ou tard s'il ne s'amende pas.

Le fils de M. Vanderk représente une tendance bien moins conservatrice, bien moins attachée à une alliance avec le régime des féodaux. « Mais, mon père, à votre place, je ne lui pardonnerais jamais » (acte II, scène 6). Ce fils est de ceux qui, brimés par les privilèges outrageusement réaffirmés par la réaction aristocratique, feront, vingt-cinq ans plus tard, la Révolution. Comment interpréter le saisissement passionné de la marquise à son égard ? Comment comprendre son obstination à le porter aux nues et à lui concéder toutes les dignités refusées au père ? Pour le fils, la marquise renonce à renier sa fraternité, elle fraternise avec ceux qu'elle voulait ignorer dans cette maison même. Elle clame tout haut l'appartenance du jeune homme à la noble filiation dont elle se prévalait naguère seule.

> « Votre fils ! Votre fils ! Vous ne le dites pas... C'est mon neveu ! Ah ! il est charmant, il est charmant ! Embrassez-moi, mon cher enfant. Ah ! vous avez raison, c'est tout le portrait de mon grand-père; il m'a saisie : ses yeux, son front, l'air noble. Ah ! mon frère, ah ! monsieur ! je veux l'emmener, je veux le faire connaître dans la province, je le présenterai : ah ! il est charmant ! » (acte II, scène 9).

Il est certain que la marquise veut introduire le jeune homme dans le monde clos qu'elle refusait au père négociant. Elle l'emmène chez elle, au lieu qu'elle venait avec hauteur visiter le père; elle en fait son compagnon le plus cher : « je le retiens demain pour me donner la main » (acte II, scène 9), tandis qu'elle consentait à protéger lointainement la famille Vanderk. Cet impatient désir d'alliance qui pousse vers des forces jeunes, hostiles à l'Ancien Régime, une noblesse réactionnaire et défiante, est-ce celui des conservateurs de la révolution bourgeoise, de ces nobles qui préfèrent, à l'émigration, la monarchie constitutionnelle, avec ses variantes feuillante ou girondine ? Ce neveu intransigeant qui, très symboliquement, voudra s'échapper de l'hôtel bourgeois paternel pour s'aller battre au-dehors, contre un officier ayant devant lui insulté les négociants, ce neveu, le seul révolutionnaire de la pièce, est aussi la seule passion de la marquise. Elle prévoit pour lui seul une brillante rentrée dans ses fiefs, une reconquête de sa noblesse :

> « Nous avons dans la province la plus riche héritière [...]; votre fils l'épouse, j'en fais mon affaire : vous ne paraîtrez pas, vous » (acte IV, scène 4).

Le moins hasardeux serait ici de dire que la marquise veut à tout prix soustraire le fils du négociant à la condition bourgeoise où l'a placé son père. Car ce fils serait, lui, dangereux, s'il devenait le détenteur d'une fortune aussi puissante que celle des riches capitalistes de l'époque, et prendrait peut-être, lui, les armes contre le régime qui favorise tant de préjugés insultants pour la bourgeoisie d'affaires.

Alors il faut l'exiler, il faut le ramener à ses origines de classe, lui qui n'est pas encore entré dans le système de son père, lui qui n'a pas encore dérogé et changé de bord. Et cette nécessité se fera sentir bientôt, dès que la féodalité ne produira plus impunément des capitalistes antiféodaux.

> « Je le propose, je le marie, il ira à l'armée; et
> moi je reste avec sa femme, avec ma nièce, et
> j'élève ses enfants » (acte IV, scène 4).

Voilà les projets de la marquise, ils ressemblent bien, en fin de compte, à un enlèvement, et plus à une spoliation qu'à une promotion sociale. Ce neveu ne méritera vraiment son titre qu'en donnant à sa noble tante une nièce et des petits-neveux nobles comme elle : cette graine bourgeoise, arrachée à la terre du négoce qui lui prend ses fruits, devra enrichir la noblesse féodale d'une nouvelle floraison, génération héritière des anciens privilèges, et forte, pour les défendre, de tout le dynamisme qu'elle devra emprunter à la prospérité bourgeoise. Transmettre à la noblesse féodale, et à tout son système, la vigueur et la confiance bourgeoises, tel est bien, en fin de compte, le but de la marquise, et de tout un vaste mouvement de réaction aristocratique, qui fait des dernières décennies de l'Ancien Régime l'apogée d'une domination acharnée de l'esprit féodal. L'idée de priver le négociant Vanderk d'une descendance directe et légitime ne tend pas à autre chose : éliminer toute chance de constitution d'une maison Vanderk et Fils, et obliger le vieux négociant à reconvertir le bien que représente son entreprise commerciale en une richesse monétaire neutre, pouvant devenir un fonds de consommation récupérable comme tel par la noblesse féodale. Tous les biens ne se valent pas, pour la marquise, et cette fortune ne sera vraiment digne du jeune homme séquestré par elle, qu'en redevenant or, fief, ou champart, et privilège.

Le thème du gentilhomme caché sous une condition bourgeoise, et dont les ennemis veulent tout à la fois faire la fortune et s'en débarrasser, reviendra dans la littérature bourgeoise et révolutionnaire, nous aurons l'occasion de le voir. Ici, la noblesse féodale entend bien priver le négoce d'une génération qu'elle se fera pour ennemie. Faut-il préciser que M. Vanderk père, malgré la terreur que lui cause la décision de son fils d'aller se battre, n'entre pas un instant dans les projets de la marquise; à peine l'écoute-t-il, et il ne l'écoute que pour la mieux faire taire.

Placé dans cet édifice de thèmes idéologiques de la bourgeoisie pré-révolutionnaire, le détournement par la noblesse féodale des forces montantes de la classe bourgeoise fait fonction d'antithèse brutale à la saine conduite des capitalistes soucieux de se faire une place dans l'Ancien Régime. S'il préfigure les tentatives aristocratiques de rendre impuissante une bourgeoisie en colère, il vient aussi renforcer le bien-fondé de la voie choisie par M. Vanderk père, celle de la collaboration avec un régime qui reconnaîtrait les droits de sa classe : une bourgeoisie modérée n'excitera pas les inquiétudes des classes féodales, et personne ne songe à détourner le vieux négociant parvenu de sa prospère condition. Au contraire, le duel accepté par son fils, le jour même des noces de sa sœur, en pleine gloire familiale, ce duel qui confirme de façon éclatante les possibilités de conquête sociale de la bourgeoisie au sein de l'Ancien Régime, est présenté comme une folie. L'échange un peu vif entre le père et le fils en témoigne.

> Monsieur Vanderk père : « Et quelles précautions aviez-vous prises contre la juste rigueur des lois ? »
> Monsieur Vanderk fils : « La juste rigueur ! »
> Monsieur Vanderk père : « Oui : elles sont justes ces lois [...] Quelle punition ne mérite pas un Français qui médite d'en égorger un autre, qui projette un assassinat ? » (acte III, scène 5).

La classe bourgeoise ne doit pas, selon le négociant modéré qu'est M. Vanderk père, pousser la confiance en ses propres forces jusqu'à l'agression contre le régime. Cette confiance excessive ne serait-elle pas du même ordre que le préjugé entretenu par les nobles contre le monde bourgeois des affaires ? Ne risquerait-elle pas, plutôt que de contribuer à établir un équilibre social et politique entre les puissances économiques réelles, de précipiter un enchaînement d'abus et de malentendus, approximativement fondés sur une totale ignorance des nécessités politiques ? Ce projet de son fils est bien pour M. Vanderk un assassinat :

> « la confiance que l'agresseur a dans ses propres forces fait presque toujours sa témérité » (acte III, scène 5).

Nous rapprocherons ici ce mot de l'analyse que fait Jaurès, dans son chapitre sur la bourgeoisie nantaise, à propos de la confiance que prend peu à peu en elle-même cette bourgeoisie.

> « C'est, dit Jaurès [1], parce qu'elle était devenue, à Nantes, une grande force de production, de négoce et de propriété, que la bourgeoisie bretonne pouvait être à Rennes une grande force d'enthousiasme et de pensée. Nantes était le laboratoire de richesse et de puissance d'où les jeunes étudiants exaltés des écoles de Rennes tiraient la substance même de leurs rêves. Au reste, dans le discours du jeune délégué de la jeunesse rennaise [2] et dans la décision finale qu'il propose, il y a une parole profonde : " D'après le sentiment de nos propres forces. " C'est bien, en effet, ce

---

1. Jaurès : *Histoire socialiste de la Révolution française,* chap. I, § 3, p. 145.
2. Discours du député de la jeunesse de Rennes à l'assemblée des jeunes gens de Nantes, le 28 janvier 1789.

sentiment de la force économique accrue qui donne à la bourgeoisie son élan révolutionnaire. »

Ce sentiment-là, c'est la génération bourgeoise de Vanderk fils qui l'éprouve et le professe, y trouvant la matière à tout un mouvement de dénigrement farouche de l'Ancien Régime, et la promesse d'une victoire prochaine sur cet ordre moribond. C'est la génération qui fera 89. Pour le vieux négociant jaloux de consolider la place qu'il s'est faite dans ce même régime, la confiance en la bourgeoisie se traduit par l'assurance d'une intégration progressive de cette dernière dans les cadres de l'Ancien Régime : il n'y a pas de classes antagonistes ni de droit d'une classe contre une autre, mais une même légitimité, rationnelle et juridique, à laquelle tous doivent obéir, devant laquelle il n'y a que des Français également responsables. La bourgeoisie ne doit pas enfreindre cet ordre, sous peine de voir les privilégiés de l'Ancien Régime abuser de leurs titres, et l'enfreindre, eux, beaucoup plus gravement pour la bourgeoisie. En somme, la bourgeoisie se doit de réfréner les tendances de la noblesse féodale à l'outrecuidance, et ne doit surtout pas montrer l'exemple de l'excessive confiance en soi. M. Vanderk père estime ainsi que, sans l'illusion qui domine tout usage de la force, sans une confiance en soi pas forcément légitime, l'agresseur, quel qu'il soit, n'aurait pas l'idée d'intervenir de façon aussi décisive qu'il le prétend : tout est affaire de préjugés, ceux qu'on a sur les autres, et ceux qu'on a sur soi-même.

Là encore, la rigoureuse fermeté de la bourgeoisie modérée ne peut voir qu'une entreprise propice à semer le désordre dans le cadre qu'elle tente d'aménager pour elle au sein de l'Ancien Régime : une lutte déclarée entre bourgeois et nobles féodaux rendrait définitivement caduque toute tentative d'instaurer un semblant de cohérence et de légitimité dans l'attribution des titres et des postes politiques, chaque classe obtiendrait les siens par les moyens qu'elle jugerait bons et efficaces. C'est là une belle prescience du tour effectif que prendront les choses dans la génération des Vanderk fils, réaction aristocratique et surenchère féodale d'une part, révolution de l'autre. On peut dire de M. Vanderk père, outre la position à laquelle il s'est résolu, qu'il fait preuve d'une clairvoyance politique héritée d'une solide expérience des rapports de classe au sein de l'Ancien Régime, et que, tout en la refusant pour lui, il conçoit avec lucidité la possibilité d'un soulèvement bourgeois contre ce régime, contre cet ordre où lui se complaît.

Il y a entre cette conscience du père et cet élan du fils tout l'écart, très concret et aussi très infime, que dénonce Jaurès entre « une grande force de production » et « une grande force d'enthousiasme ». M. Vanderk père est encore au centre de ce « laboratoire de richesse et de puissance » dont les produits, une fois aux mains de son fils, répandront dans toute la bourgeoisie française l'élan révolutionnaire. La conscience qu'a une classe de ses forces n'est pas sécrétée immédiatement par l'essor de ces mêmes forces, encore moins reconnue comme telle par ceux en qui elle se fait jour. Pour le vieux négociant de 1765, le projet d'une agression contre le régime féodal ne peut encore passer pour une défense légitime des intérêts menacés de la bourgeoisie. Elle ne procède que d'un vulgaire souci d'arriver plus vite que les autres, d'une ambition sociale dévoyée et irrecevable. Cette agression contre un régime en place, fût-il abhorré, revient pour M. Vanderk père à de la pure et simple délinquance, révolte aveugle de l'individu contre l'ordre social et la communauté.

« Ah ciel ! Fouler aux pieds la raison, la nature et les lois ! préjugé funeste ! [...] Tu ne pouvais subsister qu'au milieu [...] d'un peuple dont chaque particulier compte sa personne pour tout, et sa patrie et sa famille pour rien ! » (acte III, scène 7).

On le voit bien, il n'y a pas de lutte juste quand elle en vient à la force, moyen barbare d'ailleurs hérité des traditions les plus cruelles de cet Ancien Régime contre lequel le jeune homme prétend s'insurger. En acceptant de combattre par l'épée les suppôts de ce régime, le bourgeois ne fait qu'entériner les préjugés qu'il y dénonce.

Qu'est-ce d'autre qu'une condamnation de la lutte ouverte d'une avant-garde bourgeoise contre l'Ancien Régime, et par là contre les avantages qu'il pourrait procurer à une bourgeoisie demeurée modérée ? Pourquoi aller démanteler un édifice dont on peut attendre l'obtention d'un statut enviable, pour peu qu'on fasse l'effort de l'aménager selon de nouvelles exigences ? Les lois dont le négociant a vanté à son fils la « juste rigueur », ce sont aussi des « lois sages, mais insuffisantes » (acte III, scène 8), qui n'ont pas permis encore au bourgeois d'affirmer légalement, rationnellement, naturellement ses forces. Leur « sévérité cruelle n'a servi qu'à froisser le cœur d'un honnête homme entre l'infamie et le supplice » (acte III, scène 8). Ici, l'appareil répressif d'un Etat qui interdit aux gens de se battre en duel se confond pour M. Vanderk père avec la répression de tout soulèvement, y compris de celui que pourrait tenter la bourgeoisie : à elle de comprendre cet appareil, et de trouver son honneur ailleurs que dans ce soulèvement, auquel on lui prescrit de préférer l'infamie. Il y a place, « entre l'infamie et le supplice », pour une confiance en le système, pour une volonté d'en obtenir la protection et les honneurs. M. Vanderk père le croit, lorsqu'il regrette de devoir « peu compter sur le bonheur présent » (acte III, scène 6), lorsqu'il doit affronter les vicissitudes de sa condition de bourgeois brimé, alors même qu'il croyait s'en être affranchi et pouvoir jouir de sa prospérité, justement à la faveur de cet équilibre conquis par lui : « je me suis couché le plus tranquille, le plus heureux des pères » (acte III, scène 6).

Il avait somme toute raison, puisqu'une classe aussi puissante que la sienne mérite les honneurs d'un Etat qui lui doit son essor économique, puisque, entre la pure et simple séquestration que veut faire de lui la noblesse (la marquise) et la lutte à mort contre cette même noblesse qui l'insulte (l'officier), le jeune bourgeois peut vivre et trouver « la joie la plus légitime » (acte IV, scène 3) à servir à la fois sa classe et son gouvernement. Quitte à perdre son fils, ce à quoi dans les deux premiers cas il semble destiné, M. Vanderk père préférerait le voir combattre pour le système qu'il rejette : « Ah ! si son sang coulait pour son roi ou pour sa patrie » (acte III, scène 6). Ne serait-ce pas aussi la preuve que cette force, par laquelle le jeune homme défend sans mesure ce qu'il croit être son honneur, est bien réelle, et reconnue par l'autorité souveraine de l'Ancien Régime ? Le jeune négociant plein de promesses ne pourrait-il être un nouveau Cid, et sa classe une nouvelle chevalerie, mettant ses inépuisables talents au glorieux service du progrès, du capital et de la dynastie : « Laisse faire le temps, ta vaillance et ton roi » ? Ce serait bien là la suprême reconnaissance dont pourrait bénéficier, au sein de l'Ancien Régime, cette bourgeoisie avide d'être reconnue : le progrès et l'affirmation de ses talents se confondraient dès lors avec le progrès et l'affirmation de l'autorité gouvernementale, ces deux séries se rejoignant dans un même temps historique.

Ce à quoi la jeune génération répondra qu'au lieu de vouloir réconcilier deux séries si disparates il serait bien plus commode d'en éliminer une, la deuxième, et de laisser la première assumer ses fonctions. Les talents de la bourgeoisie ne seraient-ils pas pleinement affirmés, et leur progrès pleinement achevé, s'ils étaient employés par elle à exercer cette autorité gouvernementale, sans compromission avec d'autre régime que le sien propre ? Du point de vue du temps historique, ne serait-ce pas aussi plus expéditif ?

Il est remarquable, pour en revenir au strict cadre de la pièce, que dans tous les cas le jeune Vanderk doive quitter son père. Que ce soit la marquise qui le soustraie à son avenir de négociant, que ce soit la lutte contre ses ennemis de classe qui l'arrache aux réjouissances familiales, que ce soit enfin la conquête d'une gloire rêvée par son père qui l'entraîne sur le terrain, à ses yeux neutre de préjugés, de la grandeur militaire, de toute façon, donc, M. Vanderk père se prépare à perdre son fils. Encore une fois le vieillard est lucide quant à la situation qui menace son fils : « le préjugé qui afflige notre nation rend son malheur inévitable » (acte IV, scène 9). Le préjugé est là, il frappera immanquablement toutes les entreprises de la bourgeoisie à la conquête de son honneur; si le père peut se féliciter d'un équilibre et d'un bonheur provisoires, il sait que la génération qui le suit ne pourra les conserver. « La plus grande félicité est si peu stable », confiera-t-il à sa femme en se rendant au mariage de leur fille (acte IV, scène 11).

Il n'y aura pas, donc, puisque « la plus grande félicité » pour un négociant est de voir prospérer son affaire sous le nom de son fils, il n'y aura pas de second M. Vanderk négociant. Le baron Desparville, qui entre dans la vie de M. Vanderk père au moment même où le jeune Desparville et le jeune Vanderk se battent, vient à propos le signifier :

« Je viens pour parler à M. Vanderk. — Lequel ? — Mais le négociant. Est-ce qu'il y a deux négociants de ce nom-là ? C'est celui qui demeure ici » (acte V, scène 2).

Alors que sera le fils de M. Vanderk ? Si son père lui dévoile qu'il est gentilhomme, il ne le veut pas pour autant confier aux projets de grandeur qu'a conçus la marquise.

> « Je ne connais que deux états au-dessus du commerçant [...] : le magistrat qui fait parler les lois, et le guerrier qui défend la patrie », dit au début de la pièce le vieux négociant (acte II scène 4).

Son fils ne peut être le défenseur du royaume : d'une part parce que son entrée dans la carrière militaire, plan cher à sa tante, serait pour lui un retour en arrière, une mise à l'écart de la société où l'a si bien installé son père; d'autre part, le jeune Vanderk semble l'ennemi juré du système où le « préjugé » anti bourgeois reste florissant, des lois où ce préjugé puise toute sa substance. Son ennemi, celui qui a devant lui traité les commerçants de « fripons » et de « misérables », n'a-t-il pas eu l'audace de réitérer son insulte en toute connaissance de cause, se sentant protégé par le système ? « Je me suis retourné, je l'ai regardé : lui, sans nul égard, sans nulle attention, a répété le même discours », confesse le jeune homme à son père (acte III, scène 5). Cette attention, ce regard portés par le bourgeois sur la noblesse qui n'en a pas pour lui et le nargue, ne sont-ce pas ceux mêmes de M. Vanderk père qui manifeste silencieusement sa volonté de faire évoluer le système, tout en tâchant d'exprimer à la fois la force et la retenue qui sont siennes ? Ce manque d'égard, ce manque d'attention de la noblesse qui s'enferre dans ses préjugés de caste, ne sont-ce pas ceux que craint, en réponse à ses multiples efforts, le vieux négociant, ceux qui marqueront, dans les deux dernières décennies de l'Ancien Régime, la réaction aristocratique ? La position de la bourgeoisie, au-delà des différences d'attitude prise par les deux générations, reste une.

Mais c'est justement sur le fond de cette unité que se détachent le mieux les différences. M. Vanderk, qui a pour interlocuteur le vieux baron Desparville, ne se heurte pas à cette haineuse surenchère de la part de la noblesse féodale, mais seulement à son original, au « préjugé » invétéré que cette noblesse profère malgré elle. A ce titre, le vieux négociant peut encore espérer conquérir une place, une brèche dans ce système qui l'exclut; lui peut encore s'en vouloir faire le défenseur. Mais son fils prend les armes, sitôt que le système se voit conférer par les menées réactionnaires d'une noblesse intransigeante le redoublement que lui, bourgeois puissant, ne peut supporter : le jeune Desparville ne se contente pas de perpétuer inconsciemment le préjugé de ses pères à l'égard de la bourgeoisie, mais fait exprès de le répéter et de le prendre à son compte. C'est cette répétition de l'insulte qui fait du jeune Vanderk, en le déterminant à se lever, un ennemi définitif du régime.

Quelle place saurait-il en effet y conquérir ? Pas plus qu'il ne défendra ses richesses en restant négociant, ses terres en se faisant guerrier, il ne pourra, en devenant magistrat, défendre ses lois. Les richesses, les terres, les lois de l'Ancien Régime, le jeune homme n'en a que faire, dès lors qu'il n'y trouve pas matière à se faire reconnaître comme classe dominante. Sa fortune n'a pas à servir la prospérité d'un royaume qui le berne, sa force n'a pas à préserver un trône qui ne veut pas le compter parmi ses ministres, son savoir n'a pas à venir en consolider les bases : il sera le négociant, le défenseur, le magistrat d'une autre nation, où l'excellence des lois et des principes justifiera un total dévouement des citoyens à la cause patriotique. Pour l'instant, face à toutes les ambitions mêlées de crainte que conçoit son père, le jeune Vanderk oppose la résolution de faire triompher sa propre cause, de conquérir tous les droits d'une vraie noblesse. Il tranche l'exposé politique de son père par ces mots : « Je suis donc gentilhomme » (acte II, scène 4), qui expriment une résolution définitive et une rigoureuse assurance quant à la place qu'il veut conquérir dans la société. Il se doit d'être gentilhomme dans un système où seule une noblesse légitime aura cours; il prétend être ce gentilhomme en affirmant dans le système qui l'écrase sa réelle supériorité : coûte que coûte, il aura les honneurs et le crédit que lui vaut sa fortune, et il est impossible que pour les avoir il ne se batte pas.

On a donc dans cette pièce du *Philosophe sans le savoir* une belle thématisation des conflits qui agitent et traversent de part en part le monde bourgeois à la veille de la phase décisive, celle de la crise de sous-production dont seule triomphe la propriété féodale dès 1785. Les deux générations de la bourgeoisie d'affaires s'affrontent, sont montrées dans toute leur différence, répondant chacune au même problème par des vues, des conduites spécifiques, disparates comme l'est de l'autre chacune des situations où il est posé. Ce n'est pas là que Sedaine fut prophète : la mise en scène d'un bourgeois conscient des difficultés qui marquent son état, entraîne immanquablement l'ébauche des solutions envisagées, du dénouement probable de la crise. M. Vanderk père a posé tous les termes du problème, et voici que devant lui, et devant nous, ils font déjà apparaître comment ils le résoudront, et organisent, déjà, leur formulation future. L'expérience de Vanderk père, celle, simultanée, de l'impossible collusion et de l'impossible divorce entre la détention du capital marchand et la jouissance du pouvoir appellent, dans leur aporie même, une expérience différente, plus féconde et plus radicale.

La génération bourgeoise de M. Vanderk fils est celle des questions renouvelées et des refus réitérés : réaffirmation par la bourgeoisie d'une puissance économique qui lui ouvre le droit au pouvoir, renouvellement de la question de sa viabilité politique comme classe sociale, et, en face, refus persistant de la noblesse de reconnaître cette classe et de bousculer pour elle la hiérarchie féodale, en somme, tentative de dépossession d'une bourgeoisie trop sûre d'elle-même par la propriété féodale.

En revanche, M. Vanderk père est l'image exacte de l'acceptation par une bourgeoisie au faîte de sa puissance économique, d'une collusion matérielle qui l'enferme dans le système d'Ancien Régime, pourtant ouvertement critiqué par elle. Là où le père dénonce en 1765 les préjugés et les incohérences de cet Ancien Régime, il lui grandit un fils qui en 1789 ne pourra qu'en attaquer les abus et les monstruosités. Entre-temps auront passé la crise cyclique de sous-production et ses menaces pour le capital marchand, l'échec des tentatives de réforme fiscale, et, dans son ensemble, la réaction aristocratique féodale.

La facilité, le peu d'obstacles avec lesquels se produit sur le théâtre cet exposé des thèmes de la propriété et de la destinée sociale bourgeoises sont à commenter.

La position double, non tranchée que confère aux aspirations de la bourgeoisie pré-révolutionnaire la nature même du capital marchand, intermédiaire entre deux modes de production, permet à ces aspirations de s'exprimer dans les limites autorisées par la prégnance du féodalisme. Il faudrait étudier tout ce qui fait qu'au siècle des Lumières le féodalisme des rapports de production reste présent au cœur d'une idéologie bourgeoise véritablement dominante, qui s'exprime librement aussi longtemps qu'elle garde en elle ces racines d'un autre âge, tolérées, récupérées à l'usage de son propre développement. Il est curieux que ce soit aux maîtres d'un régime de produire un courant idéologique marginal et offrant tous les aspects d'une résistance au courant général des mentalités : c'est bien pourtant ce qui se produira avec la réaction aristocratique, où le féodalisme doit proprement réagir contre tout un univers de forces productives nouvelles et toute une marée d'aspirations de ces forces à un nouveau statut. Ici déjà, dans cette esquisse de 1765 qui campe une fois pour toutes les protagonistes de cette longue histoire, la voix de l'aristocratie féodale est celle qui sonne faux, qui vient du dehors, voix de fausset d'une vieille marquise sur le retour et déguisant son identité. Dans ce cadre où conspirent féodalité et capitalisme, une idéologie ne peut transgresser l'autre, et la voix de l'aristocratie féodale résonnera toujours en contrepoint des thèmes bourgeois qu'elle ne tentera pourtant jamais de couvrir. Les deux discours se limitent réciproquement tout au long de leur développement. Et n'est-il pas l'image même de ces limites, ce M. Vanderk prisonnier de la noce qu'il a si heureusement organisée, et dont il doit si malheureusement respecter l'étiquette, alors que le destin de son fils, et par là de toute sa famille, l'appelle au-dehors ? C'est la dette que le parvenu paie au système où il a tâché de pénétrer et duquel il veut se faire reconnaître.

Les agissements de M. Vanderk fils sont, eux, consignés à l'extérieur de la pièce, comme si sur eux venait déferler l'antique règle du théâtre de cour, ici invoquée pour préserver l'unité de ce monde sans issue où sont provisoirement solidaires la rente féodale et le capital marchand. Rejetées dans l'ombre, les menées d'une conscience bourgeoise réfractaire à cette unité, et déjà trop brimée pour la perpétuer, font retentir les coulisses du murmure rageur d'une révolution.

Il serait en effet inconcevable que le jeune homme belliqueux fût le personnage principal de la pièce, même s'il en est bien le seul véritable héros : le monde d'où parle le vieux négociant n'a rien d'héroïque. M. Vanderk va jusqu'à demander à son fils, au début de la pièce, s'il compte représenter « quelque pièce de théâtre, une tragédie » (acte II, scène 4), alors que le malheureux se lamente le plus sérieusement du monde sur sa querelle secrète et ses funestes conséquences pour « toute une famille » (acte II, scène 3). Pour son père, ce ne peut être une affaire réelle, il ne la conçoit pas au sein du cadre prescrit « naturellement » aux agissements et à l'expression de sa bourgeoise famille. L'émotion surprise par lui chez son fils, et dont ce dernier le prie de ne pas s'inquiéter : « je faisais le héros », est immédiatement rejetée par M. Vanderk père dans le monde de l'imaginaire, inassimilable au mode d'expression spécifique d'une bourgeoisie peu soucieuse d'avoir ses héros. Et encore, même s'il s'agit d'un discours fictif, faut-il être prudent, tant, aux yeux de cette bourgeoisie de compromis, l'héroïsme est un préjugé dangereux et téméraire. Aussi le père, inquiet, recommande-t-il à son fils : « Faites, si cela vous amuse : mais il faudrait quelques précautions » (acte II, scène 4). Et d'ordonner à son fils de lui confier la nature du discours qu'il prétend prononcer : « Si vous me trompez, prenez-y garde : je ferai cabale » (acte II, scène 4).

Voici donc la bourgeoisie modérée qui, de peur d'un éclat risquant de nuire à son assimilation par la société d'Ancien Régime, prétend contrôler tout ce qui est produit par sa classe. Ce contrôle recouvre la conscience de classe la plus profonde : M. Vanderk, et avec lui toute une bourgeoisie soucieuse de ménager le féodalisme, entend diriger la conduite du jeune bourgeois audacieux qu'est son fils; et cela exactement de la même manière qu'il a entendu diriger la conscience bourgeoise de ce fils, en retardant le plus possible la révélation qu'il doit lui faire de ses origines nobles. « Je vous ai épargné jusqu'à cet instant les réflexions que vous venez de faire », dit le négociant à son fils, en espérant lui voir refuser une appartenance quelconque à une autre classe. Comme quoi c'est aux moments où elle se fait le plus circonspecte quant à ses bonnes relations avec la société d'Ancien Régime, que cette bourgeoisie traduit le plus profond souci de son autonomie et de sa spécificité de classe. Et pour se faire reconnaître par une société qui la tient encore à l'écart, elle veut assurer dans ses propres rangs une discipline d'unité qui passe par ce contrôle minutieux des moindres productions idéologiques bourgeoises : les plus marginales en sont l'objet, ainsi cette tragédie imaginaire où le père menace encore le fils de faire cabale, si le ton en était par trop héroïque.

On peut mesurer là toute la force des interdits politiques et idéologiques qui frapperaient, si elle voulait s'exprimer sous l'Ancien Régime, une pensée bourgeoise vraiment révolutionnaire. Cette pensée, c'est celle qui se heurtera à une noblesse dure et agressive, à un féodalisme trop rude pour être toléré par ceux qui se découvrent ses ennemis de classe : il n'y aura dès lors plus de place pour la bourgeoisie dans le régime à base féodale que se concilie encore M. Vanderk père, et il n'y aura plus de place pour la féodalité dans la société que voudra se donner la bourgeoisie brimée par les abus de l'Ancien Régime. L'idée d'un compromis sera alors bien dépassée, et ses défenseurs ne pourront prétendre à exprimer la nécessité historique de la bourgeoisie, comme ils le font magistralement, et sans réplique, à l'époque de M. Vanderk père.

Alors seulement se lèveront les flambeaux de l'idéologie bourgeoise révolutionnaire, ceux-là même qui aveuglent la marquise lorsque, faisant *en retard* son entrée dans l'hôtel Vanderk, elle n'y distingue que le jeune homme.

> « Ah, j'ai les yeux éblouis; écartez ces flambeaux... Point d'ordre sur les routes; je devrais être ici il y a deux heures. Soyez de condition, n'en soyez pas; une duchesse, une financière, c'est égal... » (acte II, scène 9).

N'est-ce pas le mot suprême d'une noblesse effarée, qui craint d'être rendue trop loin dans le temps et voudrait bien n'être pas si tard dans une histoire qui balaie déjà son monde hiérarchisé — ce monde dont M. Vanderk, sans le savoir, tirait si bien la leçon.

§ 2. La génération des spoliateurs : « Le Tartuffe de mœurs » de Chéron (1789).

On peut se rendre compte de la distance parcourue par l'idéologie de la bourgeoisie, en examinant dans quels termes sont posés, à la veille de la Révolution, les problèmes de la légitimité des biens et des droits possédés par les classes antagonistes. Il ne s'agit plus du tout de faire reconnaître le caractère légitime de la fortune bourgeoise, mais bien de représenter la seule issue possible pour un réajustement des droits et des fortunes : le dépouillement de la noblesse au profit de la bourgeoisie.

Le possédant doit néanmoins commencer, en toutes circonstances, par justifier de ses biens, et qui plus est, par se donner des titres : double nécessité d'une juste ascension sociale. Cette exigence est ici exprimée par

> « SUDMER :
>
> *Attendez. Je connais un certain parvenu*
> *Dont aucun des aïeux jusqu'ici n'est connu,*
> *Qui m'a fait demander une famille entière,*
> *Dont le chef, quoiqu'issu de race roturière,*
> *Eût fait quelque action de mérite et d'éclat,*
> *Ou comme militaire, ou comme magistrat.*
> *Mais vous ne voulez pas les vendre, je sup-*
> [*pose ? —*
>
> FLORVILLE :
>
> *Pour peu que vous trouvez qu'ils vaillent quel-*
> [*que chose,*
> *Estimez et prenez* » (acte III, scène 5).

Le bourgeois parvenu, riche à force de travail, et symboliquement orphelin d'une lignée dont il n'a hérité aucun privilège, recherche maintenant une famille de référence qui le pose socialement, et dont les portraits orneront les murs de son hôtel : car son travail et sa richesse ne lui ont pas encore ouvert les portes de la notabilité. Mais cette famille, toute imaginaire qu'elle doive être, doit cependant avoir mérité son renom, dont le bourgeois veut se parer. Il ne s'agit pas pour ce dernier de se targuer d'une ascendance noble inventée, mais au contraire de prendre à son compte la prospérité toute roturière d'une famille ayant en son temps, comme lui, fait ses preuves. En somme, voici une bourgeoisie avide de traditions et d'assises généalogiques authentiques. Ce n'est plus la révélation d'une ascendance noble, comme dans la pièce de Sedaine, mais l'acquisition d'une ascendance méritante et inévitablement roturière : on rejette en 1789 ce qui était recherché en 1765 comme pouvant faciliter l'accès à la notabilité, à savoir la référence à une ascendance noble. Le jeune Vanderk devait prouver sa valeur sans le secours du titre qui lui eût conféré sa noblesse a priori, mais ce n'était que pour mieux mériter cette noblesse ainsi reconquise, modèle de toutes les aspirations sociales du jeune négociant. Ici, le seul problème de celui qui veut attester sa réussite sociale, c'est de se présenter comme digne de sa classe, de plusieurs générations d'honnêteté au service de la nation. Là où Vanderk voulait être le gentilhomme d'une bourgeoisie en mal de considération, le parvenu sans race de 1789 ne connaît plus de ses prétendus aïeux que leurs actions « de mérite et d'éclat », recommandation suffisante pour ses propres talents. Il n'est plus question de noblesse, fût-elle, ainsi que le prônent les Vanderk, à dépasser et comme mise en exergue des promesses à venir de la bourgeoisie. A l'authentique ascendance noble inavouée par Vanderk, est ici substituée l'ascendance fausse dont fait montre le parvenu de Chéron.

Mais il est remarquable que, pour le noble qui voudrait se prévaloir de sa naissance pour jouir de droits que n'a pas le parvenu, la valeur de cette naissance est devenue nulle, et qu'il ne peut en aucun cas l'invoquer à son bénéfice propre : Florville n'a plus rien à faire des portraits d'ancêtres qui tapissent sa chambre, sinon les vendre, au prix des cadres et des toiles, à des gens qui, comme ce parvenu, en feront meilleur usage, et oublieront même leur noblesse. Le noble n'a plus aucun orgueil à tirer de ses origines, et de l'ancienneté de son lignage : ses ancêtres, porteurs de blasons et de privilèges, n'ont plus d'intérêt qu'en tant que famille, et c'est parce que les portraits sont nombreux que le parvenu veut bien les acheter, au poids, pourrions-nous dire, persuadé qu'il est que ces portraits servent mieux la cause de sa roture qu'ils ne l'ont fait des antiques privilèges de Florville. Ainsi,

> « FLORVILLE : Vous les traiterez bien, mon
> ami, je l'espère.
> SUDMER : Mieux que vous » (acte III, scène 5).

La race ne doit être là que pour accompagner le prestige social d'une fortune légitimement acquise, celle des parvenus; si elle est seule garante de ce prestige, si elle seule prétend donner droit à un quelconque crédit social ou politique, elle est une supercherie. Florville a des dettes, sa famille ne peut lui donner la solvabilité qui le soustrairait aux créanciers bourgeois; tout au plus peut-elle, dans sa matérialité la plus triviale, lui éviter d'être saisi : il vendra, au prix du bois, les portraits de ses ancêtres. Ainsi sa tante :

> « *Elle a valu son prix, dans son temps, à la*
> [voir;
> *Mais je ne la vends pas ce qu'elle a pu valoir.*

Elle est peinte en bergère [...]
— *Combien cela vaut-il ? Cent francs.* [...]
— *Fort bien; et les moutons ? eux seuls*
                    [*valent bien cela;*
Je vous donne pour rien ma tante » (acte III,
scène 5).

On ne peut mieux exprimer la ruine définitive du
« funeste préjugé » que déplorait, insulté par un noble,
le jeune négociant Vanderk. Si certains sont assez
fous pour le perpétuer, ils méritent vraiment peu de
place dans la hiérarchie politique et sociale, et si Florville souhaite s'y maintenir, il doit littéralement se
défaire, en échange, de tout ce qui pour lui signifiait ce
préjugé : sa noblesse, son lignage.

Pour clore ce système de la propriété légitimement
acquise, il faut que tout bien possédé, transmis à la
naissance en même temps que les privilèges, soit annulé.
La seule rupture possible de cette transmission des
privilèges est, comme dans le cas de l'ascendance, la
vente par le noble, après estimation, de tous les biens
illégitimement acquis à la naissance. Il faut souligner
là l'importance capitale que revêt cette estimation des
biens de la noblesse, dans la constitution d'une nouvelle
idéologie bourgeoise de la propriété : ces biens n'ont
jamais été estimés, ils ont toujours existé sans susciter
d'interrogation de la part de ceux qui avaient conquis
les leurs de haute lutte; ainsi, M. Vanderk père ne
demandait aux propriétaires féodaux que d'être à la
hauteur de leurs droits et privilèges fonciers, sans remettre ces derniers en question. Maintenant ces biens sont
les seuls qui rapportent toujours davantage, la hausse
s'opère à leur seul bénéfice : leur illégitimité est encore
plus criante, d'autant qu'une réforme de la succession
ne serait pas non plus favorable à la propriété bourgeoise. C'est donc cette propriété féodale dans son
contenu même qui doit disparaître; car la bourgeoisie

n'a plus la ressource de vouloir rompre l'immobilisme
économique des seigneuries par l'abolition du droit
d'aînesse : qu'adviendrait-il en effet de la réserve en
capital accumulé de la bourgeoisie propriétaire ?

> « Les partages peuvent briser le patrimoine
> foncier de la famille, le droit d'aînesse ne jouant
> plus dans la dévolution successorale, et affaiblir
> ou limiter ainsi progressivement l'excédent dispo-
> nible dont dispose le propriétaire bourgeois sur
> le marché. Toutes choses égales, la concentration
> de la rente sera moindre que dans la propriété
> noble ou ecclésiastique. La progression sera
> moindre aussi [1]. »

La prise de conscience par la bourgeoisie d'une faiblesse de ses propres biens quant à leur statut, et la résistance que ce dernier leur confère face à la crise, ne
s'arrête pas au vœu d'un statut plus satisfaisant, ou à
l'idée d'une modification du statut légal de la propriété féodale transmise à qui s'est « donné la peine de
naître » ; cette modification, pleine d'inconvénients pour
la bourgeoisie, comme nous le montre ci-dessus Ernest
Labrousse, doit se voir préférer par elle une solution
radicale, car l'heure est, dans ce « raccourci dramatique » où s' « aggrave en quelques mois [...] le mouvement de plus d'un demi-siècle [2] », aux solutions radicales. On n'a qu'à dépouiller la noblesse, la propriété
féodale qui ne s'est jamais mesurée à la valeur marchande : l'expression idéologique de cette exigence,
pour être multiple, n'en est pas moins nette et sans
équivoque. Ainsi la pièce de Chéron nous montre-t-elle,
en 1789, le pauvre noble Florville ayant, de façon

---

1. E. LABROUSSE : *Esquisse du mouvement des prix et des
revenus en France au XVIII*, tome II, livre VII, ch. 5, p. 421,
§ 1.
2. *Ibidem,* Aperçu sommaire, tome II, § 3, p. 642.

exemplaire, vendu tous ses biens; car ils sont racheta-
bles, on le pensera longtemps pendant la Révolution.
Le voici, ce noble qui a renié tous ses privilèges.

> « FLORVILLE : Un bien ? —
> SUDMER : Terre ou maison.
> FLORVILLE : Vous voulez plaisanter, je n'avais
> qu'une rente, hélas ! elle est défunte.
> SUDMER : Et comment faites-vous pour exister ?
> FLORVILLE : J'emprunte » (acte III, scène 5).

Ainsi s'est-il défait du service d'argent que lui légua
sa mère, symbole des trésors où s'est englouti, loin de
toute valeur d'échange, le fonds de consommation des
féodaux. « Il est fondu. Je ne mange jamais chez moi,
je l'ai vendu. » Ce « chez-moi » est du reste tout aussi
révélateur de la décadence de Florville, lequel a également renoncé à la jouissance d'une riche maison dont
il avait hérité. « Elle n'est plus à moi », dit-il, « J'ai
préféré en être un simple locataire », car « ce luxe
est ruineux, et bien fou qui s'en pique » (acte III,
scène 5).

On ne peut mieux marquer la rupture entre cette
nouvelle image d'une noblesse dépossédée que se donne
la bourgeoisie, et la réalité d'un siècle d'affrontements
entre cette bourgeoisie et le mode féodal de propriété.
Si les nobles veulent survivre (« Comment faites-vous
pour exister ? », demande Sudmer); il leur faut se réintégrer, les mains vides, à la nouvelle société que préco-
nisent et organisent déjà, ne fût-ce qu'idéalement, les
bourgeois possédants : du bel édifice de la prospérité
nationale, qu'ils ont si longtemps occupé et aménagé
de leurs fastes jaloux, les nobles n'ont plus qu'à être, à
l'instar de Florville, les locataires.

Cette image modèle du noble dépouillé de biens
autant superflus qu'illégitimes, reste vivace dans l'expression idéologique de la bourgeoisie révolutionnaire, et
s'en verra prêter toutes les nuances de l'hésitation où

est cette bourgeoisie pour préciser les modalités réelles de ce dépouillement. Nous la retrouverons au cœur de la Révolution, chargée de toutes les ambitions et de tous les conflits de la bourgeoisie possédante devant l'écroulement de la féodalité. Ici, l'antiféodalisme de cette bourgeoisie vient seulement de formuler sa résolution de défaire les fauteurs de crise des richesses qui, ou bien possédées arbitrairement, ou bien grossies par des pratiques contraires au développement de la production, sont de part en part marquées du sceau de l'inutile et du nuisible. Et la bourgeoisie de mettre bien en avant la propriété qu'elle prétend, elle, faire triompher, la fortune patiemment acquise, accumulée pour une plus grande production, pour un plus grand profit. « Je n'ai jamais volé l'Etat ni personne : Prenez garde à cela, ma fortune est à moi », dit Sudmer, l'homme qui s'est fait tout seul.

Même si la bourgeoisie possédante a assis les bases du capital marchand sur l'inertie économique de la propriété féodale, même si elle a longtemps partagé avec les seigneurs les bénéfices de la hausse séculaire, elle prend conscience, au moment où les seigneurs ne partagent plus, que ses bénéfices à elle étaient les seuls justes, les seuls utiles à l'Etat : ils étaient les seuls à favoriser un essor de la productivité, et partant de la prospérité nationale. Les voleurs de l'Etat, ils sont du côté des bénéficiaires de la rente foncière dont la hausse vertigineuse ébranle la structure agraire féodale. Car c'est bien spécifiquement dans cette structure que, comme l'écrit Ernest Labrousse,

> « hausse des prix signifie baisse de la production, baisse des revenus, violente contraction — mais la contraction n'est pas pour tout le monde [1] ».

---

1. E. LABROUSSE : *La Crise de l'économie...* Introduction générale, p. XV.

Et même si la bourgeoisie a participé aux bénéfices de cette rente foncière en investissant, comme nous l'avons vu, ses capitaux dans des exploitations à structure féodale, elle ne se sent pas ici du côté de ceux qui en ont si longtemps vécu. Si l'on posait alors à cette bourgeoisie la question « comment faites-vous pour exister ? », elle saurait répondre que sa fortune n'est pas dans ces possessions immobilières qui ne sont pour elle que des placements, mais dans ce négoce, dans ces sociétés de commandite, dans ces manufactures, dans ces banques, qui lui ont assuré peu à peu, bien qu'encore tacitement, la souveraineté économique et sociale, dont maintenant elle se targue pour accéder au pouvoir.

Les critères universels de l'utile, de l'efficacité viennent ici se joindre à ceux du légitime et du nécessaire, pour opérer le refus par l'idéologie bourgeoise du maintien de la propriété seigneuriale, et cela au moment précis où la rente féodale écrase le capital marchand et barre la route au développement du capitalisme commercial qui jusqu'alors la relayait.

Ces critères, ces raisons que se donne la bourgeoisie révolutionnaire, ils sont sans aucun doute élaborés dans le sein même de ce que Jaurès appelait « le laboratoire de richesse et de puissance » de cette classe consciente de ses forces, à savoir dans les conditions réelles de l'essor du capital marchand en butte aux résistances d'une société encore imprégnée de féodalisme. Nous avons dans ces pièces de théâtre ici analysées, aptes à rendre accessibles au public du drame bourgeois les figures les plus typiques de la classe montante, une des expressions les plus achevées, idéologiquement parlant, des antagonismes opposant le capitalisme marchand avide de pouvoir politique, et la structure socio-politique de la hiérarchie féodale ressentie comme un carcan.

Les phases du développement de ces antagonismes sont ici personnifiées : M. Vanderk père, ou l'essor du capital marchand voulant obtenir la place qu'il mérite dans une structure socio-politique réticente; M. Vanderk fils, ou l'élan révolutionnaire d'une bourgeoisie qui ressent cette réticence comme une menace réelle; Sudmer, ou les désirs spoliateurs de la bourgeoisie révolutionnaire à l'égard de la noblesse féodale enfin réalisés. Nous avons ici une expression quasi caricaturale des conflits réels qui agitent la conscience d'une bourgeoisie en passe de rompre définitivement avec le féodalisme qu'elle a longtemps ménagé. Le théâtre nous permet d'aborder par cette vision claire des antagonismes qui la traversent, l'étude de ce passage et de cette rupture tels qu'ils marquent la conscience bourgeoise de l'époque. Lui seul, plus encore que le roman et que la poésie, est à même de prêter aux thèmes essentiels de l'idéologie bourgeoise en lutte ces traits grossis et cette force démonstrative qui, dans leur dénuement conceptuel, nous livrent toute la portée et toute l'intensité de l'élan combatif dont ces thèmes sont chargés.

> « Pour que la puissance économique d'une classe montante devienne enfin puissance politique, il faut qu'elle se traduise en pensée, qu'elle aboutisse à une conception générale du monde, de la société et de la vie », dit Jaurès à étudier l'essor de la puissance bourgeoise avant la Révolution [1].

Cette pensée, cette conception bourgeoises des choses la plus générale, nous les trouvons à leur état le plus

---

1. J. Jaurès, *op. cit.*, chap. I, p. 144.

expressif dans les formulations de choc qu'en donne le théâtre où les bourgeois de la fin de l'Ancien Régime venaient se reconnaître avec délices.

Ce ne sont plus là les multiples détours de la pensée politique appréciant la situation concrète de la bourgeoisie, avec toutes les nuances que confèrent à cette appréciation la nature de l'objet envisagé, la nature de la situation à la date à laquelle elle est appréciée, la nature du sujet de cette démarche, son origine de classe et ses objectifs particuliers sinon individuels; ce ne sont plus les cheminements, rigoureusement diversifiés dans leur limitation respective à une série conceptuelle bien déterminée, de la théorie politique. La pensée, le système d'un Barnave ou d'un Sieyès, pour la période initiale de la Révolution, ne nous donneront pas la figure d'ensemble de cette « conception générale du monde, de la société et de la vie » que nous voulons poser préalablement à l'étude de son élaboration. Cette figure est à la fois grossière par sa généralité même, son caractère sommaire, et supérieurement achevée, du fait de son éloignement thématique par rapport à la réalité des faits où se nourrit l'expression idéologique (on va au théâtre pour se distraire et pour ne rien voir des coulisses où se trame la construction de l'idéologie). Pour qu'un thème, cher à une bourgeoisie soucieuse d'exprimer ses ambitions, soit rendu accessible au public bourgeois avec l'impact le plus grand dont il puisse être chargé, il lui faut conjuguer une généralité et une exemplarité qui conspirent à le rendre unique et achevé dans sa formulation, et par là définitif. Ainsi, pour cette bourgeoisie qui veut « que la condition devienne aujourd'hui l'objet principal, et que le caractère ne soit que l'accessoire [1] », le théâtre représente bien l'expression la plus poussée des différentes phases

---

1. DIDEROT : *Entretiens sur le Fils naturel*, troisième entretien, 1757, Pléiade, pp. 1287-1288.

de la conscience révolutionnaire qu'elle se découvre. C'est à ce titre que nous privilégions, pour cette place initiale dans notre étude d'une telle découverte, le théâtre bourgeois où parlent si clairement de la classe montante ses sycophantes et ses hérauts.

§ 3. La génération des solutions révolutionnaires : « Charles et Caroline, ou les abus de l'Ancien Régime », de Pigault-Lebrun, juin 1790.

C'est un même projet théâtral qui donnera une troisième formulation, résolument, doctrinairement révolutionnaire, celle-là, de la prise de conscience bourgeoise à l'égard des antagonismes qui opposent bourgeoisie et noblesse féodale.

Au cœur même de la Révolution commençante, une pièce de Pigault-Lebrun : *Charles et Caroline, ou les abus de l'Ancien Régime,* nous offre l'éclatante et définitive expression de cette bourgeoisie arrivée à une conscience mûre, et qui, même si elle ne parle pas d'elle, reproduit sans équivoque les fermes résolutions que lui ont imposées les tensions grandissantes d'une situation ouvertement révolutionnaire.

A force de se poser la question de la légitimité des droits et des privilèges détenus par la noblesse féodale, la bourgeoisie a fini par conclure que, pour cette noblesse, le seul moyen de se légitimer serait de s'intégrer à une nouvelle hiérarchie sociale, à la disposition de laquelle elle se mettrait, y recevant les fonctions et le crédit qu'elle mérite. D'où la représentation d'un M. de Florville retrouvant les moyens d'exister en se défaisant de son héritage foncier et mobilier.

Mais ce dépouillement de la noblesse doit trouver un statut qui l'arrache au contexte mythique où il reste plongé tant qu'il n'est envisagé qu'absolument. Les nobles à dépouiller sont-ils vraiment récupérables en tant que nobles par une société où seules les forces utiles à la prospérité publique sont admises à commander ? Garderont-ils quelque chose de leur splendeur passée, ces anciens privilégiés d'une société désormais périmée ? Ou au contraire, en seront-ils réduits à travailler pour vivre, forts de leur seule force de travail, tels leurs anciens esclaves ? Une chose est sûre : ils doivent, dans cette société dont les bases idéologiques s'affermissent de jour en jour, faire la preuve de leur utilité.

Que les nobles soient en effet utiles, et ils auront leur place dans la société où l'efficacité et la persévérance bourgeoises sont enfin à l'ordre du jour. Ce n'est plus leur noblesse qui constitue désormais l'ennemi à abattre, mais leur séculaire inertie économique : la bourgeoisie est en train de comprendre que le plus choquant de l'ordre féodal n'en est pas le plus déterminant, et que les préjugés de l'arrogante aristocratie qui, à eux seuls, choquaient M. Vanderk, ne sont que les effets manifestes d'une perversité économique combien plus grave. Coupé de cette racine qui le détermine, le privilège de la condition noble sera par lui-même inoffensif, comme en témoigne la pièce de Pigault-Lebrun, où l'ancienne aristocratie d'un ordre périmé s'intègre au nouveau en toute innocence, sitôt qu'elle rend les armes.

De quelle utilité peut faire preuve l'aristocratie dépossédée et déclassée ? Pas de celle du négociant qui, comme le disait Voltaire en 1734, constitue le pilier du corps social moderne. Si du reste ce critère de l'utile prend ici une valeur aussi importante, c'est bien parce qu'il représente le mieux la qualité du rôle économique de la bourgeoisie à travers un siècle d'histoire. On ne privilégie l'utile, dans l'idéologie de cette bourgeoisie triomphatrice, que dans la mesure où c'est elle-même, cette classe de négociants et d'affairistes, qui en est

l'archétype et la vivante — et presque exclusive —
incarnation. Ainsi, dit Voltaire,

> « je ne sais pourtant lequel est le plus utile à
> l'Etat, ou un seigneur bien poudré qui sait préci-
> sément à quelle heure le roi se lève, à quelle heure
> il se couche, et qui se donne des airs de grandeur
> en jouant le rôle d'esclave dans l'antichambre d'un
> ministre, ou un négociant qui enrichit son pays,
> donne de son cabinet des ordres à Surate et au
> Caire, et contribue au bonheur du monde [1] ».

L'utilité économique est bien tout : mais à la faveur
d'un véritable retournement de cette proposition, dans
le sens de sa plus grande radicalité, la bourgeoisie va
entrevoir la possibilité pour les classes économiquement
nuisibles de ne plus poser à la société le problème de
leur inutilité, une fois que cette société les aura empê-
chées de nuire. Ainsi, l'entourage parasitaire de la
royauté peut bien continuer à vivre, pourvu qu'il ne
puisse plus disposer des coffres de l'Etat. Du reste,
tant que l'utilité bourgeoise se donne un prince pour
la régir, elle doit se donner aussi des nobles en fonction, qui, s'ils ne participent en rien à l'entreprise
bourgeoise de prospérité publique, du moins ne l'entravent en aucune manière. La critique voltairienne ne
frappe plus alors que les apparences.
    Est-ce à dire que les bourgeois spoliateurs se con-
tentent d'assurer à la noblesse cette fonction de parasite de cour, et ne lui demandent rien d'autre que de se
restreindre à ce rôle mineur ? Non, car le noble inutile
de 1734, maintenant critiqué pour des raisons bien plus
graves que celle de son oisive élégance, est devenu un
noble menaçant; l'allègre dissipateur des richesses ances-

---

1. VOLTAIRE : *Lettres anglaises*, X.

ᵗtrales s'est changé en un cynique accapareur de bénéfices fonciers, seul triomphant de la crise de sous-production. S'ils veulent s'assurer de son impuissance sociale et le cantonner à des fonctions protocolaires, les bourgeois de la « troisième génération », ceux qui posent les bases réelles d'une société nouvelle, s'assureront d'abord de la fortune des féodaux, de sa mise au service de la prospérité dont ils sont, eux, les garants. Ainsi, il ne leur suffit pas de constater, comme le faisait Voltaire, la relative inutilité de la noblesse d'Ancien Régime, pour l'éliminer de la scène sociale et politique. Encore leur faut-il trouver le moyen de s'emparer des immenses richesses accumulées par cette noblesse, et de les rendre proprement utiles à l'Etat, ce qu'elles ne manqueront pas de devenir, une fois aux mains des bourgeois.

Le problème qui se pose donc est, paradoxalement, de conférer une utilité à la noblesse féodale, en tant que détentrice d'une richesse précieuse pour le bien public : c'est au titre exclusif de cette utilité que les bourgeois peuvent s'en emparer. Et inversement, c'est en devenant un pilier de la prospérité publique que cette richesse féodale conférera une utilité à ceux qui l'auront amassée, utilité seule susceptible de leur conférer à son tour un statut social défini dans le nouvel ordre.

On voit ainsi que la spoliation des richesses féodales par la bourgeoisie est étayée par plusieurs séries de conditions, au cours desquelles cette spoliation se profile comme conséquence inévitable des diverses nécessités économiques et sociales qu'ordonne un changement de statut de la noblesse féodale. Il ne s'agit pas pour les bourgeois de spolier purement et simplement cette noblesse, mais d'organiser en système les raisons, les modalités, les nécessités de cette spoliation : il s'agit de prouver que la richesse des anciens féodaux n'est utile et légitime qu'aux mains de la bourgeoisie, mais en même temps de ne faire résider le salut et la légitimation de la survie même de cette noblesse dépouillée, que dans une telle spoliation.

En permettant aux membres de l'aristocratie, à ces personnages odieux de naguère, de survivre isolément au sein de la société nouvelle, la bourgeoisie fait porter sur leur seule richesse et sur leur seul privilège féodal les coups qu'elle réservait naguère à leur attitude sociale et à leurs dissipations. Elle ne s'épuise plus, comme M. Vanderk père, à se faire valoir aux yeux d'une aristocratie pleine de suffisance et de dédain : Pigault-Lebrun écrit sa pièce à une époque où il peut envisager de montrer la porte d'un grand aristocrate forcée par une génération nouvelle et avide de changement, appuyée par le peuple.

Mais c'est bien ce même projet bourgeois, contraindre la noblesse à se justifier de ses privilèges, qui est ici réinvesti et développé : le souci de M. Vanderk de fonder la noblesse du blason sur celle du cœur sera ici repris comme à rebours, mais dans les mêmes termes. En effet, on va désormais travailler à fonder sur l'utilité au bien public la participation à la chose publique. Ce n'est plus la pure exigence de légitimité morale qui animait le négociant de Sedaine. Ce n'est plus non plus la tentative pure et simple de faire profiter les plus défavorisés de la richesse des privilégiés qui par ailleurs les réduisent à l'indigence : encore y avait-il là le souci, déjà amorcé, de conférer un statut juridique nouveau à une richesse détournée de sa fonction nobiliaire originelle, la thésaurisation. Monvel, futur jacobin, l'exprimait bien dès 1777 dans sa comédie bourgeoise, *L'Amant bourru* :

> « *Le plus beau droit de l'opulence,*
> *Celui qui peut lui seul l'ennoblir à jamais,*
> *C'est le droit d'enrichir l'honorable indigence,*
> *De l'accabler de ses bienfaits* » (acte II).

Ce qui change désormais, c'est la conception de cette collaboration des classes autour d'une même quantité de richesse. Jusqu'ici, cette quantité restait égale à elle-même, récupérable à chaque niveau de l'économie publique par n'importe qui et à n'importe quelle fin : conception de type physiocratique, assimilant la mobilité des richesses à

> « une circulation dont la continuité fait la vie du corps économique, ainsi que le sang fait la vie du corps animal [1] ».

Elle caractérise l'ensemble d'une période séculaire qui s'étend jusqu'à la libéralisation économique de la Constituante. Nous reviendrons sur l'apogée de ce courant, et sur son épuisement que constitue tout à la fois la création de l'assignat-monnaie le 27 août 1790. Car alors, la neutralisation absolue de la richesse, indifféremment chargée à travers l'assignat-monnaie d'un pouvoir libératoire illimité, qu'elle provienne des biens ecclésiastiques, des avances de la Caisse d'escompte ou de la fortune bourgeoise rémunérant les travailleurs, tourne paradoxalement à la spécification d'un type particulier d'échanges, la spéculation, seule bénéficiaire du régime inflationniste. Dès lors, n'importe qui ne peut plus acquérir n'importe quoi, contrairement à ce qu'a laissé envisager tout l'édifice institutionnel et idéologique de la Constituante. Et justement, il y a dans cet édifice une place ménagée pour la noblesse dépouillée de ses droits féodaux, qu'il s'agit moins de faire disparaître en tant que noblesse, que de réintégrer dans un nouvel ordre social, où sa fortune soit mise à la disposition de tous, circulant comme n'importe quel fruit de la prospérité publique : de cette noblesse il ne restera plus alors que le nom, la féodalité aura cessé de vivre en elle.

---

1. TURGOT : *Lettre à l'abbé Terray*, 14 novembre 1770.

Rien de plus ici, apparemment, que l'idéal exprimé par la bouche de Monvel, treize années avant. Rien, sinon l'affinement d'un point bien précis : il n'est plus question de droits de la noblesse, légitimes ou pas, elle doit se rendre à ses devoirs vis à vis des classes qu'elle opprimait, et les faire profiter de ce qu'elle détenait pour elle seule. C'est dire, comme le montre le tableau idyllique brossé par Pigault-Lebrun, que l'on ne reconnaît plus d'autonomie à la richesse des anciens féodaux, qu'elle n'a même plus à mériter ses droits, mais à remplir ses devoirs, impliquée qu'elle se trouve dans le nouveau circuit économique et social de la France révolutionnaire. De la même façon que les biens d'Eglise n'ont plus de nom, à la veille du 27 août 1790, que sur les bons remboursables à 5 % dont ils assignent, pour le profit de tous, la valeur.

Il s'agit bien ici de représenter, mythiquement et symboliquement, l'instauration de ce nouveau type de circulation : il est investi par l'idéologie bourgeoise d'un rôle fondamental dans la constitution de la conscience antiféodale. Et par une singulière correspondance, *Charles et Caroline* est une pièce où l'on ne cesse d'aller et venir, d'entrer et de sortir, au propre tant qu'au figuré.

Si elle raconte une histoire d'Ancien Régime, du temps heureusement révolu, elle n'en imagine pas moins un développement et un dénouement à l'usage des jours à venir, et en particulier de ce jour de juin 1790 où elle est jouée, devant des bourgeois dont certes elle ne parle guère, mais auxquels elle assigne une place symbolique entre la noblesse périmée et le peuple aimablement édifiant. Riche de la fortune de l'une et des espoirs de l'autre, la bourgeoisie les spolie également dans cette révolution où elle prétend disposer d'eux à son exclusif bénéfice.

Charles et Caroline s'aimaient. Charles de Verneuil quitta, pour épouser Caroline, les fastes de la maison

paternelle, et s'en fut vivre avec sa belle, travaillant
sous un faux nom pour nourrir d'un pain honnête sa
petite famille, bientôt agrandie par la venue d'un
charmant bambin. Le ménage est placé sous la bien-
veillante protection d'un ami, belle figure du peuple
travailleur. Comme dans Sedaine, le gentilhomme a
dérogé, et revendique pour lui tout l'honneur de cet
abandon de ses privilèges. Mieux vaut gagner sa vie
que se morfondre dans une oisiveté de contrainte,
M. Vanderk père le disait bien, et c'est aussi l'avis
— bon sens tout populaire — de l'ami et ange gardien
de Charles, commentant à sa manière cette dérogance.

> « Sa naissance... Est-il fils d'un prince ? mais
> seroit-y l'fils d'un roi, dès qu'il est sans ressource,
> y n'en est que plus estimable en nourrissant, de
> ses sueurs, sa femme et son enfant » (acte I,
> scène 1).

Charles a ainsi disparu de la scène de la société
noble et ne fait allusion à ses origines que comme à
un monde de coulisses : il n'a plus de statut dans la
hiérarchie d'Ancien Régime, et la scène où se joue la
pièce nous représente une subversion totale de cette
hiérarchie, qui voudra peu à peu s'imposer à l'ordre
traditionnel dont elle est au début prisonnière. Au lieu
d'obéir à son père qui le fait rechercher, Charles de
Verneuil va lui amener femme et enfant; le vieil aristocrate devra soit les reconnaître tous trois dans leur
nouveau statut, soit renoncer à son fils.

Mais pour être ainsi subverti, cet ordre n'en est pas
moins présent à l'esprit des personnages, qui ont une
conscience lucide de ses incohérences et savent, tout en
vivant en marge de lui, en faire l'analyse.

> « La distance des conditions n'est pas une chi-
> mère. La différence des fortunes n'est pas une
> illusion » (acte III, scène 2).

Et pourquoi ne jouiraient-ils pas, eux qui travaillent, du bien qu'on leur refuse ? Les fils de l'Ancien Régime, alliés aux fils du peuple qui leur ont appris le mérite et l'honnêteté, veulent faire reconnaître la légitimité et la supériorité de leur alliance et de leur idéal à la noblesse isolée et intransigeante. Si elle opère cette reconnaissance, la noblesse sait bien qu'elle n'aura plus lieu d'être, qu'elle sera happée et dissoute par ces forces nouvelles résolues aux solutions les plus radicales : décomposition certaine de cet ordre ancien qui déjà s'effrite ! Charles de Verneuil l'a compris avant tous les autres, qui a jeté aux orties sa défroque de gentilhomme poudré, pour se confondre au menu peuple des futurs sans-culottes. Mais lui et ses amis, précisément, se défendent de vouloir arracher à la noblesse ses biens, car ils n'en jouiront que conviés par elle à en disposer comme des leurs propres. Comment interpréter ce paradoxal refus de la spoliation pure et simple, telle qu'elle était encore envisagée par le bourgeois de Chéron ?

C'est qu'il s'agit, pour les révolutionnaires que sont Charles et ses amis, de pouvoir disposer d'une fortune que Charles a reniée dans le cadre de l'Ancien Régime, en tant que bien d'une caste sourde à tout ce qui n'est pas de son monde. Charles ne la peut retrouver que si cette fortune est détachée de son contexte de caste, de son contenu féodal, de son enracinement dans les privilèges spécifiques à la caste féodale. Car si Caroline mène un jour son ménage avec les deniers des anciens champarts de la maison de Verneuil, si l'ami de la famille met un jour son bon sens et sa gouaille généreuse au service de l'intendance de cette noble maison, ce ne pourra être que dans un monde où la maison de Verneuil ne sera plus fermée au peuple, où le mérite laborieux, l'honnêteté et les généreux sentiments seront la seule dignité, le seul titre, la seule valeur reconnue et acceptée en échange des avantages sociaux. La

noblesse de la maison de Verneuil ne sera là que le
lieu, et non plus le principe ou la garantie de ces
nouveaux échanges. La famille et les amis de Charles
vivront sur la fortune paternelle comme les assignats
sur les biens d'Eglise, de plus en plus extraits de leur
contexte original, de plus en plus tournés vers un
anonymat complet de leur commerce avec le reste du
monde. Et peu à peu disparaîtra jusqu'au souvenir des
champarts et des dîmes qui, dans un univers désormais
périmé, assignaient la valeur de toute richesse : les
champarts de M. de Verneuil qui n'existent plus et auxquels ne renvoie plus sa fortune léguée à Charles, les
dîmes de l'Eglise qui n'ont plus raison d'être, et qui peu
à peu n'intéressent, proprement, plus personne.

En forçant la porte de la maison de Verneuil,
Charles et Caroline en ébranlent les murs blasonnés
dont, comme s'ils ne les pouvaient plus supporter, glis-
sent pêle-mêle les armes et les portraits, séculaires, épui-
sants d'inutilité. Mais pourquoi ne pas conserver un
aussi bel édifice, pourquoi en bannir le vieil aristocrate,
s'il renonce de lui-même à rester maître des lieux ? Or
c'est à cette renonciation que consent justement, à la
fin de la pièce, M. de Verneuil, suffisamment comblé de
ce qu'il retrouve une descendance, fût-elle, il faut bien
le dire, antiféodale.

> « Allons, mes enfants, venez prendre une
> place... que vous auriez pu occuper plus tôt.
> Charles, ma maison est la tienne, tu y conduiras
> ta Caroline, et je lui devrai encore quelques beaux
> jours » (acte V, scène 9).

A quels beaux jours peut prétendre M. de Verneuil ?
Ce noble qui a ouvert sa porte à la probité spoliatrice
qui fera les beaux jours de la Révolution française, que
peut-il, lui, espérer garder ? La vie, avant tout : en
s'abstrayant de l'Ancien Régime qui nie ces retrou-

vailles du père et du fils prodigue, M. de Verneuil s'évite le souci de devoir émigrer pour conserver la vie sauve. Au contraire, la figure du comte de Préval, aristocrate plein de morgue et de mauvais sentiments, n'hésitant pas à user de moyens frauduleux pour pousser M. de Verneuil à faire condamner son fils (lettres de cachet en blanc, séduction, violence) — cette figure est celle de la réaction aristocratique battue en brèche par l'antiféodalisme, et contrainte d'aller déverser son fiel hors de France. Ainsi, le comte de Préval finira par s'enfuir, dénoncé et condamné (une fin digne du « Tartuffe » !), assisté de son seul valet et âme damnée, qui lui souffle :

> « Sortons du royaume, Monsieur, on nous contraindrait à devenir honnêtes gens » (acte V, scène 7).

M. de Verneuil, lui, ne sera pas défait par ceux auxquels il laisse la place; il entre parfaitement dans le nouveau système qu'ils instaureront au sein de sa propre demeure, embrassant lui-même si bien la situation, qu'il ne réclame aucun dédommagement pour la jouissance des biens dont on le frustre.

> « Vous ne me devez rien, vous ne me devez rien. C'est moi, peut-être, qui ai besoin d'indulgence » (acte V, scène 9).

Et de fait, le noble dépouillé n'est plus une personne économique, dès le moment où le type de propriété qu'il exerçait — la détention féodale — est aboli. Son bien est, comme l'est peu à peu le bien ecclésiastique, mis, lui, à la disposition de la nation depuis le 2 novembre 1789 — son bien est neutralisé. Il lui faudrait attendre la Restauration pour voir enfin levée cette mesure, qui sanctionne par un oubli radical les inquiétudes de l'ennemi féodal qu'elle dépouille : M. de Villèle finira par s'en souvenir trente-cinq ans plus tard, en faisant aux anciens émigrés le fameux don de 630 millions du 28 avril 1825. Remarquons seulement à ce propos que, leur eût-il versé le « milliard » raconté par la tradition, cela n'eût sans doute pas encore suffi pour leur permettre de racheter des terres : ces réactionnaires forcenés, n'ayant toujours rien compris aux lois de l'investissement, se sont empressés de dilapider leurs 30 millions de rente, et ce sont encore les anciens acquéreurs de biens nationaux qui ont le plus judicieusement profité de la loi de 1825, leurs propriétés s'en étant trouvées revalorisées. Cette parenthèse nous ramène en 1790, et à M. de Verneuil qui, lui, n'a pas besoin d'attendre le comte de Villèle et ses bienfaits pour jouir de quelques beaux jours. Non que la Révolution le veuille prendre en charge en tant que noble, mais dans la mesure où elle ne s'en prendra qu'à ses privilèges féodaux, et le laissera libre de ne point faire corps avec eux et de leur survivre. Le comte de Préval, qui attache sa personne à ses privilèges d'Ancien Régime, sera pourchassé et banni comme l'est le féodalisme même.

Les quelques beaux jours que lui vaudra son geste seront donc pour M. de Verneuil ces années qui lui restent à vivre sous le toit de son fils : en tant que simple vieillard, être neutre, arraché à sa classe, il aura droit à tout le confort qu'il mérite. La Révolution sait maintenant ne s'en prendre qu'à un ennemi fondamental, l'ordre économique féodal, et non plus à tel ou tel produit isolé de cet ordre : c'est la leçon de cette première année de la Constituante, où, telle une lame de fond, la série des mesures votées par l'Assemblée vient saper les fondements d'une société millénaire.

Une fois décidée la reprise en main de la maison paternelle par Charles, les nouveaux arrivants ne sont pas pressés de radicaliser cette mesure, et se trouvent disposés même à ménager celui dont ils sont par ailleurs décidés à profiter. C'est de la même manière, et pour la raison d'une semblable prudence, que la Constituante conservera 5 % d'intérêt à ces bons remboursables en biens du clergé que sont, pendant dix mois encore, les assignats créés en novembre 1789. Ces beaux jours de la féodalité dépouillée, c'est aussi la liberté d'administrer ses biens, exercée, pendant six mois encore, par le clergé, jusqu'au 20 avril 1790 où elle lui est ôtée. Ils ne sont pas, ces beaux jours, le fruit d'un marché, d'un échange convenu entre deux parties, la féodalité d'une part, la Révolution de l'autre. Ce sont les modalités d'un aménagement des nouvelles mesures, l'huile versée dans les rouages de la machine constituante dont les décrets, même si la prudence les diffère par de pareilles étapes, restent définitifs et péremptoires. Charles et Caroline, aussi humains et emplis de piété filiale se montrassent-ils, n'en sont pas moins inflexibles quant à leur volonté d'entrer unis dans la maison paternelle, et de faire reconnaître, par une noblesse qui, le faisant, se nie, cette union.

Car il est certain qu'en les accueillant, en se rendant à eux, M. de Verneuil renonce à l'Ancien Régime. C'est ce que souligne l'ami de Charles, soucieux de voir dans le bonheur de cette paternité retrouvée des éléments de compensation à l'égard de la splendeur féodale perdue par le vieil aristocrate.

> « Hé bien, convenez, ventreguenne, qu'cinq cens lettres de cachet n'vous procureroient pas un moment comme sti-ci » (acte V, scène 9).

Nul doute que M. de Verneuil avait beaucoup à perdre à ce bouleversement de sa situation, et que chacun se met dès lors en quête de ce qu'il pouvait bien avoir à y gagner ! Il est difficile d'instaurer dans ce domaine de fructueuses comparaisons : seul Sade pourrait expliquer en quoi, à la rigueur, le plaisir d'envoyer une lettre de cachet peut être mis en balance avec celui de faire le bien, cruauté et charité relevant du même principe, ce qu'après tout semble soupçonner la naïve probité du compagnon de Charles... En tout cas, seul le touchant enthousiasme de maintenant peut compenser les avantages cruels de naguère, et il faut bien toute la liesse de ce dénouement pour donner le change aux abus accumulés de l'Ancien Régime, dont rien, en réalité, ne fera passer le souvenir à leurs victimes. Quant aux anciens bourreaux, il faut bien qu'ils se débarrassent de ce souvenir, puisqu'il n'y a plus de place tenable pour ceux qui ont exercé, parmi ces abus, un quelconque pouvoir : le comte de Préval a émigré, on n'en parle plus; et M. de Verneuil, lui, ne supporte même plus le rappel de ce temps, le personnage qu'il était alors n'ayant plus aucun statut concevable dans le nouvel ordre des choses. « Ne parlons plus du passé, ce souvenir vous fatigue et m'oppresse » (acte V, scène 9). Et autant il y a de mort dans ce souvenir insoutenable, autant il y a de promesses de vie dans la présentation faite au vieillard d'une génération nouvelle, enjeu véritable de toute l'intrigue, puisque, pour cet enfant, Charles et Caroline n'ont reculé ni devant la fuite ni devant une entrée en force dans la maison ancestrale.

Mis entre les bras du grand-père, l'enfant suscite sa joie immédiate : « Je ne résiste plus, je ne résiste plus » (acte V, scène 9). N'est-ce pas là une figure anticipée de l'inviolable République, qui procure un bien sûr et un bonheur immédiat autant qu'indiscutable ? C'est elle, en tout cas, qui sortira infailliblement de cette révolution : et l'irrésistible élan historique qui mène à elle, saisit ici le vieillard d'un autre âge, tout entier remis au service de la cause nouvelle, à la disposition de la jeune Nation. C'est devant cet enfant seulement — car c'est lui qui emporte sa décision — que M. de Verneuil comprend la grandeur du geste qu'on sollicite de sa part, et s'élève ainsi au-dessus de ses intérêts de classe immédiats, qui jusqu'ici l'ont poussé à renier ses enfants, et à suivre le comte de Préval. La vue de ce sang nouveau et régénéré arrache le vieil aristocrate, jaloux de ses privilèges, à sa position de classe, et le tourne vers des dispositions « naturelles », exemptes de tout intérêt temporel, et instaurant entre les deux parties un échange de bons procédés résolument étranger à l'Histoire :

> « Donne à quiconque te demande, et à qui te prend ton bien, ne le réclame pas. Ce que vous voulez que les hommes fassent pour vous, faites-le semblablement pour eux [1]. »

M. de Verneuil attend de ses enfants comblés qu'ils le traitent bien, et oublie pour eux sa classe : le théâtre bourgeois fait ainsi la preuve que ce n'est pas à la noblesse en soi qu'on en veut, encore moins à ses membres individuels, mais à ses privilèges de classe. Il suffit que ces derniers soient répudiés, à la faveur d'une nécessité supérieure à celle de classe, pour qu'il ne soit plus question d'aucune haine, d'aucun grief de nature politique. A Charles et à Caroline, liés au peuple, forts de leur jeunesse, de disposer des trésors que leur a livrés le vieil aristocrate : de lui, il ne sera désormais plus question dans la société nouvelle à laquelle il a laissé le passage.

Cette jeunesse qui triomphe maintenant, que ne promet-elle pas au peuple tout entier dévoué à sa cause, peuple qui, par la spontanéité de son alliance, précipite l'isolement des classes condamnées ! Le noble insatisfait, qui a su déroger pour nourrir sa famille, a pactisé avec le peuple, lequel lui a aménagé une place dans le monde du travail et de l'utilité. Et l'homme qui repré-

---

1. Luc, 6, 30-31.

sente le peuple a ici droit à toute la reconnaissance, au sens fort, du noble arraché par lui aux affres de l'Ancien Régime. Charles, se retournant vers son fidèle ami, dira simplement : « mais il n'est pas mon père, et il ne m'a fait que du bien » (acte V, scène 9). Le bien hérité du père subitement indifférent à ses intérêts de classe, n'a de réelle valeur que selon l'usage qu'en fera la nouvelle génération, consciente, elle, de ce que représente le privilège de cet usage. C'est à l'école du peuple où il a été accueilli que Charles a acquis cette conscience. Il eût pu rester docilement chez son père et tout naturellement recevoir son héritage, que le résultat ne serait pas le même, et qu'il lui manquerait la conscience de ce que vaut vraiment cet héritage, de ce qu'il est le *bien* même, la clé suprême du pouvoir jusque-là accaparé par les maîtres de l'Ancien Régime. C'est à la faveur de son alliance avec le peuple, ou de son entrée dans la révolution antiféodale, que Charles retrouve, au sens propre, un bien qui en soit un, sans rien de commun avec l'amas de richesses illégitimes de son père. La maison de Verneuil est convertie par et pour lui en un bien utile, sagement administré par Caroline, dont les vertus d'économie sont exemplaires parce qu'elle connaît la valeur des choses que l'on gagne en travaillant.

Peut-être figure-t-elle, par ces mêmes vertus, le départ possible d'une lignée petite-bourgeoise, réveillée par le sursaut populaire, mais distincte des générations laborieuses qui armeront les futures sections de sansculottes. Car sans ce peuple travailleur qui fait une place à Charles, Caroline n'eût pu survivre à l'abandon dans lequel les amants se fussent trouvés plongés. Et sans Charles qui la remarque et la prend pour épouse, lui prodiguant ses lumières et son désir de changement, elle n'eût pas pris conscience de ces « abus de l'Ancien Régime » ni donné naissance à la force irrésistible qui entraîne à sa suite tous les legs d'une société démissionnaire — cet enfant que reconnaît, le cœur chaviré, le vieil aristocrate.

Mais si la figure de Caroline représente bien l'éveil à la Révolution d'une fraction assez basse de la petite bourgeoisie, non ouvrière, mais non possédante, qu'en est-il de la bourgeoisie possédante, si singulièrement absente de la scène ? Elle n'est pas nommée, mais sa puissance est parmi tous les actes et tous les mots de cette pièce : elle est tout simplement le fruit de la conversion de la richesse féodale en bien utile, elle seule permet qu'un tel bien puisse prétendre prendre le relais d'une telle fortune. Le capital joue ici à visage couvert, comme garantie de toutes ces transformations imposées à l'ordre et aux trésors de l'Ancien Régime : l'utilité même de ces transformations réside dans la possibilité d'un bien à la disposition de la nation et de la prospérité publique — ce bien des négociants, pilier principal du bonheur des générations nouvelles. Qu'il ne soit pas ici représenté ne signifie qu'une chose : le problème de la bourgeoisie possédante, dénominateur commun et fondement de toute l'entreprise révolutionnaire, est en 1790 celui des alliances. Qui se peut concilier avec qui ? *Charles et Caroline* met en scène la difficile exploration qui commence alors de ce problème, sondant, à sa manière, les possibilités d'une alliance entre telle et telle classe, et d'un jeu d'accords réciproques entre des forces également soucieuses d'accaparer les richesses de l'Ancien Régime. Le peuple, dont le rôle est ici central, sera-t-il l'associé des nouveaux possédants, ou revendiquera-t-il sa part de leur butin ? Telle est la question sur laquelle se ferme la pièce, un jour de juin 1790, alors que la bourgeoisie sait déjà confusément qu'elle exclura ce peuple de tout partage, tout en lui prêtant à jamais, comme Charles à son ami, le rôle de gardien de l'ordre nouveau.

C'est désormais des rapports entre les nouveaux possédants et le peuple, qui les a hissés à leur place, qu'il faut se préoccuper, et c'est ce que semble indiquer cette pièce. Les questions que se sont posées plusieurs générations au sujet de la noblesse et du traitement à lui infliger pour accaparer ses richesses sont désormais périmées : Charles et son père, ces deux transfuges de la vieille aristocratie d'Ancien Régime, ont tous deux trouvé leur place dans le nouvel ordre des choses. Il importait néanmoins de mettre en scène ce dénouement possible d'un abandon par la noblesse de ses privilèges : dans le cas de Charles, il s'agit d'un renoncement politique, plein de compréhension à l'égard des forces nouvelles, l'un de ces renoncements que pratiqueront, tout au long de la Révolution commençante, de grands aristocrates lucides. Dans le cas de M. de Verneuil, il s'agit au contraire d'un renoncement à la politique de sa classe, et aux privilèges qu'elle travaille à défendre : il n'y a plus de lutte contre la noblesse sitôt qu'elle se départ de son féodalisme agressif; l'idéologie a inventé ce cas invraisemblable pour montrer cela.

Le problème de la noblesse féodale dépossédée est donc ici résolu, tous ces anciens aristocrates sont pourvus d'un statut qui semble ici définitif. Quant à celui qui reste pleinement lui-même, et n'abandonne pas un seul de ses privilèges, il est néanmoins contraint de faire figure d'ancien noble, puisque son pays le bannit, et ne garde plus de lui que le souvenir, mauvais d'ailleurs.

C'est maintenant l'attitude des possédants à l'égard du peuple qui délimitera la frontière, instituée par la Constituante dans l'été 1790, entre l'ancien et le nouveau.

§ 4. Conclusions sur le principe
de cette triple étude.

> « Si le théâtre est le tableau fidèle
> de ce qui se passe dans le monde, l'inté-
> rêt qu'il excite en nous a donc un
> rapport nécessaire à notre manière
> d'envisager les objets réels [1]. »

Nous avons cherché dans trois productions théâtrales de l'époque qui nous intéresse, les traits marquants sous lesquels l'idéologie de la bourgeoisie antiféodale a représenté les principaux éléments du conflit
qui l'oppose à la domination féodale. Nous avons
replacé ces représentations dans le contexte socio-économique où elles nous sont rendues, en tant que telles,
intelligibles. Il serait néanmoins impensable de prétendre qu'elles sont la stricte transposition des éléments
qu'elles représentent, dans le domaine de l'idéologie.
L'histoire de *Charles et Caroline* n'est pas l'histoire des
décrets de la Constituante racontée sur la scène parisienne à des spectateurs en mal d'information. Elle
n'est pas, pourrons-nous dire en faisant allusion à une
expérience théâtrale contemporaine, un *1790* que des
acteurs-historiens organiseraient en spectacle-leçon à
l'usage des bourgeois d'alors, soucieux d'aller contem-
pler leur propre image. Tout au plus la pièce traduit-
elle en termes d'une idéologie spécifique, avec tout
l'écart qu'implique une traduction, les termes d'une
réalité éprouvée, dominée, appréhendée par l'ensemble
des Français en 1790. De même qu'une traduction se
doit de reproduire conformément au génie propre d'une

---

1. BEAUMARCHAIS : *Essai sur le genre dramatique sérieux*
(1767).

langue ce qu'elle a saisi d'une autre, attachée au seul sens qu'elle doit, à tout prix, rendre, de même les représentations scéniques de l'élan antiféodal marquant la fin de l'Ancien Régime ne font-elles que rendre sensibles à un goût bourgeois spécifique, et selon un code déterminé, les traits caractéristiques d'une réalité objective et universellement connaissable, par ailleurs, en termes politiques. Ici, l'image de cette réalité n'est rendue au public bourgeois qu'une fois refondue et tamisée à travers l'interprétation qu'en fait l'auteur de la pièce, et avec lui, l'esprit de la bourgeoisie tout entier. Il lui a fallu, à cette bourgeoisie, vivre cette réalité avant de la reproduire, et la ressentir avant de la dire : c'est à travers le prisme infini de tous ces vécus et de tous ces ressentiments qu'un esprit se forme, et qu'une bouche, mieux que toutes les autres, dit ce que toutes voulaient dire, ce que tous vivent et ressentent, comprennent enfin, et font leur, au sein d'un intérêt commun.

Donc, nous n'avons pas cherché dans ces trois pièces le reflet d'une réalité, ce qui ne présenterait d'utilité qu'iconographique, mais bien le traitement que pouvait recevoir cette réalité de la part d'une bourgeoisie antiféodale soucieuse d'en représenter les traits marquants.

Ne nous méprenons pas non plus sur ce souci : les dramaturges, pas plus que le public se rendant à ces spectacles, n'avaient l'intention avouée de représenter ces traits à des fins de propagande antiféodale. Nous ne sommes pas ici dans le cadre d'un théâtre militant. Ce que l'on voulait, dans la mesure où il y a là place pour un choix délibéré de l'idéologie à l'égard de ses thèmes, c'était représenter la condition bourgeoise, la condition aristocratique, la condition populaire, à seule fin de réalisme. C'était déjà beaucoup : peu de scènes ont, mieux que le théâtre bourgeois de cette fin d'Ancien Régime, livré une image fidèle des conflits matériels et idéologiques déchirant une formation économique et sociale tout entière. Il est de fait beaucoup plus difficile de chercher la révélation de ces conflits dans « la mort fabuleuse d'un tyran, ou le sacrifice d'un enfant aux autels des dieux d'Athènes et de Rome 1 », ces lieux et codes rituels du théâtre classique, que dans ces pièces étroitement soudées à la réalité des vécus quotidiens, préoccupées de brosser « le tableau des malheurs qui nous environnent » et de ne « réciter ni montrer au spectateur un fait sans vraisemblance ».

Bien sûr, c'est cette vraisemblance, et ce qu'elle croit être, qu'il faut alors interroger pour y trouver l'écart, fût-il précisément réduit dans ce genre-là, entre signifiant et signifié, entre ce que la bourgeoisie vivait de la réalité et ce qu'elle en disait et allait écouter, de part et d'autre du spectacle qu'elle s'en donnait. Cet écart est ici plus réduit qu'ailleurs, dans cette littérature qui se veut « touchante » à force de n'être pas éloignée des préoccupations quotidiennes : elle privilégie à tous les genres ce théâtre, seul capable de peindre en traits assez épais une action qui ne doit recevoir les secours d'aucune exagération épique pour être rendue éloquente. Peindre à gros traits un vraisemblable en quelque sorte stylisé, de façon à pouvoir dire avec Dorval 2 : « Cette action est trop simple pour être mal imitée », tel est l'idéal de cette bourgeoisie soucieuse de se donner sa propre littérature et ses propres instruments d'expression. Cet idéal est réalisé dans l'ensemble des productions théâtrales bourgeoises de toute la seconde moitié du XVIIIe siècle, et brille particulièrement dans celles de la période révolutionnaire. La recherche du vraisemblable qui traverse cet idéal de réduction entre le réel et la représentation théâtrale ne nous est pas seule-

---

1. DIDEROT : *Entretiens sur le Fils naturel* (1757), IIIe entretien, Pléiade, pp. 1283-1286.
2. *Ibidem.*

ment commode pour ce qu'elle semble rapprocher le
discours idéologique du matériau brut — la conscience
antiféodale de la bourgeoisie — travaillé par lui. C'est
aussi sur la nature même de cette conscience ainsi mise
en forme dans l'expression théâtrale qui lui est conférée,
c'est sur la nature de ce noyau idéologique fondamental,
que l'idéal de vraisemblance mis en pratique dans ces
pièces nous renseigne.

Car cet idéal traduit une profonde exigence de lucidité
et de réalité de la part d'une classe soucieuse de se
forger une conscience, un intérêt, une moralité, un
impact conséquents et unitaires, attentifs à ne rien
perdre de ce réel qu'ils doivent interpréter et pourvoir
d'un sens spécifique à la vision antiféodale du monde.

> « Que me font à moi, sujet paisible d'un Etat
> monarchique du XVIII° siècle, les révolutions
> d'Athènes et de Rome ? Quel véritable intérêt
> puis-je prendre à la mort d'un tyran du Pélopon-
> nèse ? au sacrifice d'une jeune princesse en
> Aulide ? Il n'y a dans tout cela rien à voir pour
> moi, aucune moralité qui me convienne. Car
> qu'est-ce que moralité ? C'est le résultat fructueux
> et l'application personnelle des reflexions qu'un
> événement nous arrache. Qu'est-ce que l'intérêt ?
> C'est le sentiment involontaire par lequel nous
> adaptons cet événement, sentiment qui nous met
> en la place de celui qui souffre, au milieu de sa
> situation 1. »

Ce texte de Beaumarchais date de 1767 : il définit
l'idéal de vraisemblance du genre dramatique bourgeois,
mais en le faisant, il définit toute l'essence de l'idéologie
où une classe se reconnaît, comme si elle y était
entraînée, et en même temps, y aspirait, s'y appliquait

---

1. Beaumarchais, *op. cit.*

patiemment. Et de fait, pendant ces fiévreuses décennies menant à 1789, la bourgeoisie antiféodale resserre les liens d'une conscience séculaire, mais encore lâche et peu apprêtée; elle s'y drape et s'y trouve une contenance, une stature, une tournure générale qui siéent au rôle qu'elle prétend désormais jouer dans l'éveil des esprits. Et elle trouve là la moralité et l'intérêt auxquels elle adapte, selon les termes mêmes de Beaumarchais, sa vision des événements.

C'est donc de cet Etat précis, de cet Etat monarchique d'un temps donné, de cette France du XVIII⁰ siècle, que la conscience bourgeoise fait son exclusif centre d'intérêt : elle s'y trame sa moralité propre, à laquelle elle est tout à la fois portée spontanément, et invitée par une force irrésistible, celle de l'histoire. Les intrigues peintes à gros traits, comme le sont du reste les caractères, les conflits des pièces étudiées ci-dessus, bref, tout ce réseau idéologique conspire à la diffusion de cet « intérêt » si « pressant » que la bourgeoisie porte au monde déchiré de conflits qui l'entoure; tout y doit exhaler, de la façon la plus « directe », cette moralité bourgeoise qui, travaillant l'esprit de cette classe comme elle est en retour travaillée par lui, nomme dans un discours péremptoire les « événements » et les « situations » en fonction desquels doit s'affirmer l'antiféodalisme. Cette moralité ne doit être perdue pour personne, de la même manière qu'elle a su ne rien perdre, quant à elle, de ces « mœurs » et de cet « état civil », de ces « objets réels » par lesquels tous sont également concernés, et dont elle brosse ici le « tableau fidèle 1 ».

Le lieu propre de l'idéologique est ici non plus l'écart, mais bien la proximité mimétique entre l'action théâtrale, les personnages, le spectateur, d'une part, et de l'autre, la réalité, les hommes qui font l'histoire, et

---

1. Tous les mots entre guillemets sont empruntés au texte de Beaumarchais cité ci-dessus.

celui qui les observe. C'est cette proximité qui porte la marque de l'attention scrupuleuse et de la lucidité dont a désormais besoin, et dont fait profession la conscience bourgeoise antiféodale. Que manque cette proximité, et manqueront aussi cette attention, cette lucidité, sans lesquelles le public bourgeois s'apercevrait de la fiction théâtrale et saurait bien « que ce n'est point un fait qui se passe [1] », sans lesquelles il ne verrait pas souffler sur cette scène l'esprit puissant et nécessaire de la bourgeoisie.

---

1. DIDEROT, *op. cit.*

CHAPITRE IV

LA DISTRIBUTION
DES RICHESSES

Parmi les traits que le théâtre bourgeois a voulu prêter aux personnages principaux de son « tableau fidèle » de la société, nous avons remarqué un caractère particulièrement souligné, présent au centre de toutes les intrigues, et accrochant pour ainsi dire l' « intérêt » du spectateur, au sens où Beaumarchais définit cet intérêt comme l'esprit même de la bourgeoisie qui dit et écoute la pièce. Ce trait, c'est celui qui marque *tous* les rapports entre les personnages : le désir de l'échange.

Chez tous, et entre tous, s'instaure en effet un souci de convertir, de transformer, de redistribuer, avec le concours des autres, ce que chacun détient. Ils ne viennent sur la scène que dans cette disposition, et la question cruciale de la spoliation infligée à la noblesse féodale vient naturellement trouver là sa place. On peut même dire qu'elle n'est envisagée qu'à la faveur de ce rapport d'échange généralisé qui constitue la trame véritable de toutes ces intrigues. A partir de là, les dénouements successifs du drame viennent proprement s'enchaîner, et donner une texture particulière à l'ensemble des rapports qui, dans chaque pièce, règlent les échanges entre personnages. Le texte même que récitent les personnages vient remplir diversement, et selon des exigences idéologiques et littéraires différentes à chaque fois, la structure initiale à laquelle sont disposés tous ceux qui, dans une identique intention d'échanger une part d'eux-mêmes, se partagent la scène.

Nous avons vu ainsi M. Vanderk père prôner l'échange de sa noblesse contre un surcroît de bien, la marquise proposer à son neveu de vivre noblement en échange de sa liberté, et le jeune vouloir enfin donner sa vie pour laisser sans souillure sa condition négociante insultée. Nous avons vu aussi la grotesque entreprise de troc à laquelle se résout Florville pour gagner une autonomie financière à l'égard de possessions féodales qui l'étouffent. Nous avons vu enfin Charles payer de sa noblesse son mariage avec Caroline, MM. de Préval et de Verneuil tenter d'acheter les deux amants par des procédés abusifs, puis M. de Verneuil échanger tout son bien contre le plaisir de revoir son fils chez lui. Tous ces personnages n'étaient donc là que pour consentir à se livrer et à se recevoir les uns les autres, décrivant par le mouvement même de va-et-vient qui règle ces échanges, un véritable système de propriété dont ils épuisent tour à tour les possibilités.

D'un système donné réglant les rapports de propriété, il faut passer à un autre : c'est la préoccupation majeure de la bourgeoisie possédante, chef de file de l'antiféodalisme à la veille et aux débuts de la Révolution. C'est aussi, avant tout, celle qui nourrit l'ensemble du mouvement antiféodal, où chaque classe, chaque idéal prend sa place et ses armes propres.

Mais l'on doit se demander ici à la faveur de quel fonctionnement de l'idéologie ce trait caricatural de la scène bourgeoise peut représenter un véritable dénominateur commun de toute l'idéologie antiféodale révolutionnaire. Pourquoi le thème de l'appropriation et de la distribution des richesses trouve-t-il une vocation révolutionnaire et une diffusion idéologique si importantes, au point qu'on le voit figurer au centre de l'antiféodalisme et de la formulation la plus radicale qu'en donne la conscience bourgeoise ?

C'est maintenant un détour théorique qu'il nous faut effectuer pour nous mettre en mesure de répondre à cette question, au reste capitale, à la suite de notre analyse.

§ 1. Quelle place assigner à un thème idéologique ?

L'idéologie, la pensée tout entière, marquées du sceau de cet antiféodalisme, s'emparent du matériau que leur livre l'histoire, et que constitue cette préoccupation avouée sur scène par la bourgeoisie : l'appropriation, la distribution des richesses. Les idéologies la façonnent et la travaillent, tout en puisant leur énergie dans l'intarissable réserve d'actualité et d'acuité que prête au développement des rapports de production, qu'elle transforme en problèmes, l'histoire.

Si l'idéologie s'empare du matériau de ces problèmes en posant sur lui les masques bariolés de la littérature, et notamment celui du théâtre, elle n'en rend pas moins vive la préoccupation qu'elle traduit de la part de la classe et de tout le courant produisant cette idéologie. Nous avons vu comment cette vivacité s'exprimait dans la théorie et dans la pratique du drame bourgeois, où la bourgeoisie est tellement soucieuse de contrôler la réalité, qu'elle ne la laisse pas échapper un instant, fût-ce dans l'intrigue théâtrale par essence fictive. Nous pourrions retrouver la même exigence de vraisemblable et la même primauté accordée aux représentations « touchantes », dans les livrets des Salons de 1789 et 1791 [1].

---

1. Cité par Colette CAUSIBENS-LASFARGUES, « Le salon de peinture pendant la Révolution française », *Annales historiques de la Révolution française*, n° 164, avril-juin 1961.

Devant le tableau de Lebarbier représentant *Henri, dit Dubois, soldat aux gardes françaises* au Salon de 1789, un élève révèle : « En voyant son image, je me suis attendri et mes yeux se sont mouillés, c'est lui qui nous a tous délivrés de la tyrannie en montant le premier à la Bastille. » En revanche, le *Télémaque et Mentor* de Lagrenée jeune, exposé la même année, est répudié par le commentateur, déçu que devant ce sujet trop lointain « aucune émotion ne se communique à l'âme; le spectateur demeure froid et tranquille ». Comme le note fort bien l'auteur de l'article, la réaction des critiques picturaux est celle du public bourgeois et populaire devant les mélodrames en vogue durant toute cette période.

Cette convergence des préoccupations dans diverses branches de l'idéologie exprime entre elles une unité thématique profonde, celle-là même qui détermine *toutes* les préoccupations et les productions idéologiques de l'époque — idéologiques au sens le plus large, en tant que ce sont des productions du domaine des idées. Le souci de ce « réalisme » primitif qui caractérise tout à la fois la littérature, la peinture et, avec d'autres exigences, la réflexion « philosophique » sur les faits, est bien la forme commune dans laquelle ces diverses branches de l'idéologie vont travailler un contenu commun. Ce contenu, directement relié aux conditions matérielles du monde que ces idéologies reproduisent chacune à sa manière, mais tout uniment — ce contenu est bien ce trait fondamental de l'antiféodalisme : désir de s'approprier et de se distribuer les richesses féodales.

L'esprit de cet antiféodalisme souffle à travers toutes les productions de l'idéologie révolutionnaire, les idées circulent, transformées et réajustées sans cesse, à tous les niveaux du complexe idéologique de cette même période.

Ce que nous voulons voir, ce ne sont pas les différences qui existent entre ces niveaux, mais au contraire, à la faveur même de ces différences, leur communauté idéologique. Le théâtre bourgeois et la réflexion économique, parce qu'ils sont profondément distincts, peuvent répéter à des niveaux d'élaboration tout aussi distincts une même constante, un même contenu idéologique. Ils n'ont, quant à ce contenu précis, rien de spécifique : une même histoire les détermine, et ils subissent les mêmes sollicitations de la part des conditions matérielles où ils s'enracinent et revendiquent leur place. C'est dans la manière dont chacun d'eux reçoit cette même détermination, ces mêmes sollicitations, et les formule, que chacun aussi déploie sa propre originalité. Mais les idées ne se meuvent pas d'elles-mêmes, et prétendre que l'idéologie théâtrale bourgeoise a sa propre thématique, fonctionnant de façon autonome à l'égard de l'idéologie libérale naissante, dans le domaine de l'économie, par exemple, reviendrait à négliger que dans toutes ces matières c'est le triomphe d'un courant bien précis qui se prépare et s'aménage, et que tout conspire à lui fournir des supports idéologiques.

En matière d'idéologie, il ne peut y avoir d'entités isolées, de lieux autonomes de production, irréductibles, quant à leur contenu, les uns aux autres. Croire en une telle autonomie serait nier que leur dénominateur commun est à la fois irrésistible et exclusif : l'histoire, immédiate et définitive dans son péremptoire développement.

Chaque classe, chaque domaine idéologique travaille de son côté, avec ses instruments spécifiques, à ce grand courant qui baigne d'un flux égal toutes les productions d'une même époque — et par ce travail, contribue à réaliser les déterminations d'une même nécessité historique.

Ici, ce courant est l'antiféodalisme, et cette nécessité, l'éclatement du carcan socio-économique qu'est le féodalisme.

Que l'on ne se méprenne cependant pas à cette assertion : il ne s'agit nullement pour nous de renvoyer la multiplicité des idéologies à un sol structurel commun dont elle ne serait que le reflet simple et mécanique.

Le sens même de notre étude, soucieuse de dégager d'un contexte historique donné une physionomie générale, et aussi un procès de production de l'idéologie, — le sens même de ce souci contredira l'idée que nous voudrions abandonner l'idéologie aux lois immanentes d'une détermination structurelle univoque. Il faut en effet affiner cette conception par trop mécaniste, et en tout cas stérile pour qui tente d'assigner à l'idéologie d'une période donnée une place et un fonctionnement précis.

Ce qu'il faut bien voir, c'est que, pour être aussi unique en son surgissement que l'histoire elle-même, l'idéologie n'en est pas moins multiple et complexe; elle contient dans ses mille facettes les mille déterminations hétérogènes qui conspirent à faire l'histoire, une, irréversible. En maintenant l'idée d'un courant idéologique pareillement un, et pareillement irréversible, nous ne nous interdisons nullement d'en percevoir les diversités singulières, qui marquent son passage à travers des milieux et des conditions hétéroclites. Seulement, nous considérons toujours ces derniers en les reliant au tout dont ils participent, à la manière des membres d'un même corps, unifiés en lui, fussent-ils chacun pourvus de leur originalité propre.

Disons en somme que l'unicité organique d'une part, et d'autre part la diversité spécifique, définissent également pour nous l'idéologie, constituent les deux versants d'une même fonction idéologique au sein d'un contexte historique donné. Cette fonction est d'une part celle par laquelle l'idéologie organise les hommes, comme un courant directement surgi des profondeurs de l'histoire, qui les dispose à être ce qu'ils sont dans le monde et dans le temps où ils vivent :

> « En tant qu'historiquement nécessaires, dit Gramsci des idéologies [1], elles ont une validité " psychologique ", elles "organisent " les masses humaines, forment le terrain où les hommes se meuvent, où ils acquièrent conscience de leur position, où ils luttent... »

D'autre part, l'idéologie constitue un produit par le moyen duquel les mêmes hommes s'expriment et donnent une forme spécifique à leur conscience du monde et du temps où ils vivent et où déjà une même idéologie les a fondamentalement déterminés à se réaliser. Cette autre fonction idéologique est le lieu où l'idéologie une et irréversible se fragmente et se diversifie, comme les multiples jargons que fait éclore une même langue, parlée en des circonstances et en des régions différentes les unes des autres. Nous citerons ici Claude Prévost qui, dans un article de *La Nouvelle Critique,* conclut ainsi sa définition du lieu idéologique :

> « Les hommes sont " dans l'idéologie " comme ils sont " dans la langue ". L'idéologie et la langue sont tout à la fois l'instrument dont ils usent et le milieu dans lequel ils baignent [2]. »

Nous critiquerons cette formulation, au reste juste globalement, pour ce qu'elle n'est pas assez explicite sur la dualité profonde de cette fonction idéologique. L'idéologie est *à la fois* instrument et milieu, c'est vrai.

---

1. GRAMSCI : *Problèmes de philosophie et d'histoire,* sur le concept d' « idéologie », *Œuvres choisies,* E.S., p. 74.
2. C'est ici, bien sûr, un rappel du chapitre « L'homme dans la langue », in *Problèmes de linguistique générale* d'E. BENVENISTE.

Mais elle n'est pas instrument *de la même manière* qu'elle est milieu, et doit être envisagée différemment selon qu'elle remplit l'une ou l'autre fonction. Dans un cas, elle s'est multipliée et prêtée à maintes combinaisons, elle irrigue des zones que se partagent diverses influences, parfois antagonistes. Qu'on pense ainsi aux fortunes contradictoires que connaît pendant la Révolution le courant anticlérical, des seigneurs libertins émigrants aux déchaînements du *Père Duchesne,* du culte de la Raison au défigurement de l'Etre suprême par les prêtres, tel que le stigmatise Robespierre.

Dans l'autre cas, l'idéologie, milieu humain comme peut l'être la langue, est un flux constant et uniforme, entretenu par le déroulement même de l'histoire, directement lié à ses vicissitudes, et comme lui empreint de la nécessité la plus exclusive. Cette idéologie, milieu où prennent naissance toutes formes d'idéologies, au sens d'expressions idéologiques, fonctionne bien, ainsi que le dit Claude Prévost, « comme un véritable *inconscient culturel* ». Raison de plus pour distinguer une telle idéologie, dans cette fonction primordiale, des formulations idéologiques diversifiées qui s'effectuent dans les consciences, à une époque et en des lieux donnés.

Parce que cette formulation, dans sa bigarrure, renvoie au courant profond qui la travaille, où qu'elle se produise, l'idéologie ne peut être réduite à ses expressions conscientes, ni l'idéologie d'une époque à l'idéal de la classe dominante consciente de soi. Et en retour, parce que le courant originel de l'idéologie ne baigne les consciences que d'hommes soucieux de s'exprimer *hic et nunc,* dans un vécu qu'ils veulent surmonter et marquer de leur travail spécifique, l'idéologie ne peut être non plus réduite à ces eaux primitives, où les consciences se laisseraient porter, inertes. Parce qu'elle est *à la fois* ces *deux* fonctions quasi antagoniques, parce qu'elle travaille l'homme en même temps qu'elle est par lui travaillée, l'idéologie n'est pas plus fatalement déterminée par la structure matérielle qu'elle n'est conditionnellement le jouet des consciences. Et de même, elle n'est pas moins historique dans ses formulations multiples que dans son courant originaire, puisque, de part et d'autre de sa double fonction, elle relie et confond chaque moment de chaque conscience aux conditions fondamentales d'une même nécessité historique : travail invisible de perpétuel va-et-vient.

Qu'en conclurons-nous, pour notre usage propre dans cette étude ?

Que c'est en refaisant, à la suite du courant idéologique lui-même, ce va-et-vient entre les consciences et la nécessité révolutionnaire la plus profonde, entre les idéaux avoués de la bourgeoisie et la force irréversible qui l'anime et lui ouvre la bouche — que nous parviendrons à déterminer ce qu'est véritablement l'idéal d'appropriation, thème privilégié de la bourgeoisie, mais aussi de toute l'idéologie de 1789 : ce qu'il est, c'est-à-dire à la fois comment il se présente, comment il fonctionne, et quelle place il occupe dans la formation idéologique d'ensemble que constitue 1789.

Il s'agit donc de voir dans la conscience qu'a d'elle-même la bourgeoisie antiféodale l'expression exemplaire de l'antiféodalisme, courant idéologique fondamental de la fin de l'Ancien Régime : la bourgeoisie retravaille ce courant et lui donne ses formulations les plus progressistes, à l'avant-garde de l'idéologie révolutionnaire.

Mais il faut aussi montrer comment le courant de l'antiféodalisme, fondateur de toutes les expressions idéologiques révolutionnaires, n'est pas assimilable à ce qu'on réunit sous le titre d' « idéologie bourgeoise », et que le processus par lequel une classe s'empare, pour y occuper la première place, d'un courant idéologique, n'est que second par rapport au travail originaire que ce courant exerce sur elle comme sur les autres classes, en la privilégiant seulement quant à l'intensité de cette influence. L'idéologie bourgeoise est la plus haute expression, le travail le plus achevé de l'antiféodalisme. A ce titre seulement, elle peut être dite « idéologie dominante », avec toutes les réserves qu'il convient de garder devant des termes si galvaudés. Mais dire que l'idéologie bourgeoise est partout, et que toute la Révolution de 89 parle son langage, est un renversement du processus réel par lequel prend corps l'idéologie : ce qui est premier, ce qui baigne toutes les consciences à la fin de l'Ancien Régime, c'est l'antiféodalisme. Le féodalisme bloque les rouages de l'Etat, il est rejeté par le progrès des forces productives comme l'est un corps étranger par un organisme vivant, et le même phénomène de rejet, quasi spontané, va caractériser le domaine des idées. L'éveil des consciences à ce rejet n'intervient qu'après qu'ont été mis au jour les conflits de tous niveaux entre le féodalisme et l'antiféodalisme; les idéologies ne s'emparent de ces conflits qu'après avoir fait l'expérience aporétique des obstacles qui les empêchent de se dénouer au niveau matériel. Cette expérience originaire, c'est la reproduction immédiate, par l'idéologie, du contexte socio-économique donné où elle prend racine. L'antiféodalisme s'organise autour de ce pourrissement de la situation matérielle, et n'essaime en expressions idéologiques spécifiques qu'à l'issue de ce constat fait par les hommes, à savoir qu'une situation matérielle n'évolue pas d'elle-même par un jeu mécanique, et que l'histoire est à faire. Ici, l'idéologie marque à l'égard de ses déterminations matérielles ce même retard que signale Hegel entre l'éveil crépusculaire de l'Esprit et l'énoncé des données que, pour les avoir niées, il travaille.

C'est avec toute la distance que veut ce travail que surgissent, sur un fond d'antiféodalisme, les réactions de classe spécifiques qui viennent en nourrir la veine. Ainsi, la réaction aristocratique et l'outrance féodale

des dernières décennies de l'Ancien Régime sont elles-
mêmes déterminées par l'antiféodalisme : bravade de la
rente foncière féodale pourtant archaïque, durcissement
du ton chez les seigneurs, sont l'effet d'un travail par la
classe féodale et par son idéologie propre, de l'antiféodalisme ambiant, celui que manifestent de leur côté
tout uniment la prospérité menaçante du capital et
l'idéologie de la bourgeoisie propriétaire, qui le travaillent aussi, à leur manière.

L'antiféodalisme donc, au centre de cette formation
idéologique de la fin de l'Ancien Régime, modèle toutes
les expressions, dispose toutes les attitudes, organise
toutes les mentalités. C'est dans le rapport entretenu
avec cet antiféodalisme par le thème bourgeois de
l'appropriation que nous avons à découvrir la spécificité
de l'expression antiféodale bourgeoise : et ce, de la
même façon que se manifeste d'abord à nous le privilège donné par la bourgeoisie à cet idéal, dans le rapport idéologique qu'elle entretient, elle, la classe révolutionnaire, avec l'antiféodalisme. La bourgeoisie trouve
dans l'antiféodalisme une détermination à se forger un
idéal spécifique d'appropriation : cet idéal, elle le retravaille, à l'encontre des déterminations que fait peser
sur lui l'antiféodalisme en général, et, en réponse à
cet antiféodalisme même, elle lui donne sa formulation
la plus affinée et la plus authentiquement bourgeoise,
— la distribution des richesses.

Nous avons donc à retrouver, en éclairant réciproquement chacun des termes par l'autre, d'une part, le rapport que déterminent ces deux coordonnées principales
que sont l'antiféodalisme et la conscience bourgeoise
spécifique, rapport où s'inscrit l'idéal d'appropriation-
distribution des richesses, fer de lance de la bourgeoisie
antiféodale; et d'autre part, nous recherchons, d'après
ce que nous savons de cet idéal et du rapport qu'il
constitue entre elles, la nature même de ces coordon-

nées auxquelles il renvoie, et les modalités spécifiques
de leur mise en rapport.

C'est donc se demander dans quelle mesure l'antiféodalisme est assimilé et retravaillé par la conscience
bourgeoise qui le reçoit comme détermination fondamentale de toute son attitude révolutionnaire, et qui
élabore sur sa base l'idéal qu'elle place au-dessus de
tout, celui d'une appropriation et d'une redistribution
généralisées des richesses.

A travers la mosaïque des genres, où la même idéologie entre en mille conflits divers avec mille conditions
locales d'élaboration (là elle se heurte à la scientificité
d'une discipline, là elle compose avec des traditions
littéraires, là elle s'acharne contre de séculaires refoulements), nous devons donc nous attacher à cerner le
contexte d'une réelle formation idéologique, inscrite
selon ses lois propres dans le cadre d'une formation
économique et sociale donnée, celle, pour ce qui nous
concerne, de la France de 1789.

De même que 89 est le dénouement politique d'un
conflit lourd de plusieurs générations, de même c'est à
cette date que prend une forme délibérément révolutionnaire tout un contentieux idéologique hérité des Lumières, et porté jusqu'à son éclosion finale par la vague
toujours plus forte de l'antiféodalisme.

Dans ce contexte idéologique de 89, nous devons
donc chercher ce qui sourdait depuis longtemps dans la
conscience bourgeoise, et déferle alors sous l'impulsion
du sursaut révolutionnaire, et à la faveur d'une situation matérielle explosive. Nous rejoignons ici ce par
quoi nous avons commencé ce chapitre : la détermination d'un thème-clé dans la formation idéologique qui
caractérise 89, et, par là, l'assignation du poids spécifique de l'expression bourgeoise qui fait prévaloir ce
thème sur tous les autres produits de l'idéologie révolutionnaire. Ce thème que nous avons repéré extérieure-
ment comme le trait le plus épais de la caricature mélo-

dramatique, nous allons maintenant l'interroger de l'intérieur en recherchant la raison même de sa prééminence. Nous nous attacherons donc à savoir ce qu'est la fécondité idéologique du thème de la distribution des richesses, eu égard à l'idéal d'appropriation qu'il vient nourrir de façon exemplaire et spécifiquement bourgeoise.

§ 2. Les antécédents, la continuité, la rupture.

> « Ce qu'on appelle la Révolution était tramé depuis longtemps par les prétendus philosophes du siècle, connus sous le nom d'économistes. Les académies et les différents clubs, les jansénistes et les protestants étaient leurs principaux agents. Les membres de la majorité de l'Assemblée n'en ont été que les simples artisans [1]. »

Comme le signale cet exergue plaisant au demeurant puisqu'il montre qu'il n'est pas besoin d'une conscience révolutionnaire très poussée (les auteurs de ce document ne brillaient pas par là) pour comprendre l'idéal de la Révolution, nous nous devons intéresser aux courants idéologiques qui commencèrent, bien avant 1789, à spécifier et à mettre en relief le mouvement général de l'antiféodalisme, et à lui prêter peu à peu le rythme particulier qui convenait à la représentation bourgeoise.

Ces courants, qui orientent l'antiféodalisme tout entier vers la question de l'appropriation, nous devons les remonter jusqu'à l'époque où les Lumières battaient

---

1. En-tête de la *Liste alphabétique de bailliage et sénéchaussée de MM. les députés de l'Assemblée nationale, vulgairement appelés le côté gauche ou les enragés se disant patriotes,* anonyme, début 1791. Cité par R. R. PALMER, *Annales historiques de la Révolution française,* n° 156.

leur plein, derniers beaux jours de l'Ancien Régime. Nous verrons du reste combien ces courants spécifiques, qui drainent l'antiféodalisme tout en surgissant de ses eaux déjà bouillonnantes, sont intimement liés à lui, pris dans son déroulement même, si bien que seul un regard critique peut les distinguer, éléments d'une idéologie de classe (l'appropriation bourgeoise), d'avec l'idéologie antiféodale générale qui baigne le « siècle ».

Ces courants, donc, qui donnent à l'antiféodalisme le sens particulier d'un mouvement d'appropriation, nous les trouvons systématisés dans une formulation qui se veut exemplaire, et prend pour cela les formes d'un traité économique : c'est l'œuvre de Turgot, et plus précisément ses *Réflexions sur la formation et la distribution des richesses,* écrites par lui en 1766, alors qu'il remplissait la charge d'intendant de Limoges. Les *Réflexions* furent publiées par Du Pont de Nemours dans les *Ephémérides du citoyen* en 1769-1770, mais avec d'inadmissibles corrections physiocratiques, qui mènent à un tirage séparé de la première partie en 1770.

Le titre nous enseigne que les richesses seront envisagées du double point de vue de leur genèse et de leur appropriation par les hommes. Cela suppose donc que les richesses ne soient pas traitées comme un fait acquis, comme une donnée déjà là, mais comme le produit d'une acquisition et d'une histoire, dont on ne prévoit pas *a priori* le déroulement ni le bénéficiaire. Les richesses sont interrogées en fonction non pas de ceux à qui elles sont, mais de la manière dont elles deviennent ce qu'elles sont ou ce qu'elles pourraient être.

C'est là un point de vue nouveau par rapport à celui qu'ont eu jusqu'ici les mercantilistes sur les richesses. Ils les traitaient en effet comme déjà acquises, s'attachaient à aménager l'espace économique qu'elles décrivaient et au sein duquel elles persévéraient dans leur nature première. Ainsi le problème des richesses s'était-il pour eux réduit à celui du fonctionnement des richesses, et de ses conditions les meilleures.

En voici les grandes dates, ainsi que les grandes formulations qui marquèrent ce type de pensée sur le mécanisme de la richesse :

1558, avec le *Mémorial pour que la monnaie ne sorte pas du royaume,* où Ortiz incite les riches Espagnols à se ressaisir de leurs richesses;

1615, avec le *Traité de l'Economie politique,* où Montchrétien prône également à la France de garder ses trésors pour elle;

1664, avec le livre de Thomas Mun, *England's treasure by foreign trade,* où le lieu spécifique de la richesse est reconnu, ainsi que les moyens d'y faire prospérer cette dernière;

1712, avec la *Dissertation sur la nature des richesses,* où Boisguillebert, en rupture avec l'idée d'une richesse fermée sur elle-même, n'envisage cependant que des conditions plus favorables pour son développement, sans encore concevoir d'autres rapports à l'intérieur d'elle que ceux qui relient les revenus seigneuriaux aux revenus d'industrie, le « beau monde », dit-il, aux producteurs;

1725, avec le *Livre sur la pauvreté et la richesse* que Possochkov donne à la Russie de Pierre le Grand, soucieuse de faire fructifier ses richesses nouvelles.

Partout, un même souci : la richesse. Une même inquiétude : la voir s'amenuiser (et la crise financière chronique qui frappe l'Europe de 1550 à la fin du XVIIᵉ siècle en est bien sûr l'aliment majeur), un même projet, même s'il est différemment exprimé : la détermination d'un équilibre idéal auquel la richesse trouve son plus grand épanouissement. La richesse est réduite à sa représentation la plus concrète et la plus neutre : la monnaie. Comme le dit Steuart [1] : « Aussitôt que les métaux précieux deviennent objets de commerce, équivalent universel pour toute chose, ils deviennent aussi mesure de la puissance entre nations. D'où le système mercantiliste. » Ainsi, c'est moins l'option du mercantilisme pour un monétarisme systématique, que son désir de faire de la richesse, par sa représentation monétaire, une valeur-canon, qu'il est ici intéressant de considérer : la richesse est invoquée comme un référent suprême, universel, moteur non mû autour duquel tout doit s'organiser, sans que soit jamais interrogée sa propre histoire. Celle-là est figée dans l'image d'une détention absolue de toute richesse par un possesseur suprême, l'Etat marchand, qui constitue le lieu, le processus, la fin même de tout enrichissement et de toute accumulation : cette richesse lui revient, elle est la mesure de sa puissance, cependant qu'il est, en retour, le critère de sa valeur, en ce qu'elle le rend ou non puissant.

Il faut attendre Cantillon [2] pour que soit posé, en 1755, le problème du fonctionnement spécifique de la richesse, non en tant qu'objet d'un désir social indifférencié, mais en tant que matière réelle de l'économie, dont sa propre genèse décrit le mouvement même. La richesse, traitée par le banquier anglais « en général », dans sa forme idéale et pour elle-même, n'est plus le trésor acquis par avance, puissance dont sont doués les souverains et qu'il faut leur conserver prospère. Sans manier des concepts économiques rigoureusement éprouvés, Cantillon ne laisse pas de poser des termes adéquats à son objet, et détermine leur fonctionnement comme étant celui de la richesse en général, respec-

---

1. Cité par MARX : *Contribution à la critique de l'économie politique*, Editions sociales, p. 189.
2. Richard CANTILLON : *Essai sur la nature du commerce en général*.

tivement réglé à proportion des diverses situations où elle se trouve impliquée. Et chacune de ces implications constitue une assignation particulière de la richesse en général à un lieu économique bien précis : il n'y a plus une richesse globale vaguement inscrite dans le cadre superficiel des nationalités, mais un procès réel de production et d'appropriation des richesses, par des détenteurs et pour des acquéreurs déterminés. Les propriétaires fonciers ont part à ce procès d'une façon rigoureusement distincte de celle des marchands, et ces derniers orientent ce même procès dans une direction qu'il faut aux féodaux bien de l'énergie pour maîtriser. Cantillon annonce ici les théories de Quesnay, et leur fondement méthodologique : la différenciation des classes économiques face à la richesse et à la production en général. Mais la percée théorique effectuée par Cantillon à travers le front compact de l'idéologie mercantiliste, le grand pas en avant qu'il fait faire à l'économie bourgeoise en spécifiant les conditions économiques de la richesse, jusqu'ici considérée comme une entité que définit sa seule présence, tous ces progrès, enfin, n'ont pu s'opérer qu'à la faveur de la suprématie économique de l'Angleterre. Au milieu du XVIII⁰ siècle, la bourgeoisie anglaise a accompli depuis cent ans déjà sa révolution : elle s'est résolument tournée vers les solutions politiques et idéologiques de l'avenir, cependant qu'elle acquérait peu à peu la maîtrise d'un mode de production nouveau, amené par une révolution industrielle bien amorcée en 1750. La bourgeoisie française a encore tout à entreprendre : elle est loin alors de sa révolution, qui se fera seulement avec l'éclatement final du siècle des Lumières; elle est plus loin encore de l'ère industrielle qui la fera basculer dans le mode de production capitaliste, et donnera par là même un sens nouveau aux conquêtes politiques de 89.

C'est justement par un prodigieux effort de compréhension d'une nécessité économique qu'il n'a point sous les yeux, tout du moins dans son achèvement, que Turgot, onze ans seulement après Richard Cantillon, tente de tirer la leçon de cette ascension économique du capital marchand, que la bourgeoisie n'a pas même encore su couronner d'une révolution. Le zèle réformateur du futur ministre de Louis XVI, bien loin de devoir être taxé de tiède, n'est que l'instrument de cette clairvoyance, et nous semble, dans le contexte non encore révolutionnaire de la France de Louis XV, parler à mots couverts le langage de 89. C'est à ce titre que nous tenterons de dégager des *Réflexions* les termes, mis en place par Turgot d'une façon très neuve, d'un idéal d'appropriation des richesses tel que la bourgeoisie française devient peu à peu capable de le concevoir. Celui qui le formule pour elle dès 1766 est certes baron de l'Aulne, jeune et brillant intendant du Limousin, et soutien des Finances royales. Mais il a déjà contribué à l'assouplissement du régime de la taille dans sa propre généralité, et vient d'obtenir des résultats heureux dans la suppression de la corvée en nature et la création d'une charge fiscale d'entretien des routes : les nouveaux chemins du Limousin facilitent la circulation des marchandises, elles-mêmes plus abondantes en denrées nouvelles dont le jeune intendant favorise la culture ou la fabrication. Et là, l'attitude de cet homme de progrès ne fait qu'annoncer celle du contrôleur général des Finances, du Turgot d'après 1774 qui, tout en voulant donner à l'Ancien Régime les moyens de n'avoir « point de banqueroute, point d'augmentation d'impôts, point d'emprunts [1] », fera enregistrer par un Conseil réticent les édits de mars 1776, premier jalon d'un antiféodalisme institutionnel vraiment révolutionnaire, et qui ruine, avec la corvée et les jurandes, deux piliers des structures médiévales encore étonnamment vivaces au XVIIIᵉ siècle.

---

1. Lettre du 24 août 1774 à Louis XVI.

Turgot déclarera à cette occasion :

> « Si l'on ne doit pas renoncer à corriger peu
> à peu les défauts d'une constitution ancienne, il ne
> faut y travailler que lentement, à mesure que
> l'opinion publique et le cours des événements
> rendent les changements possibles [1]. »

Voyons là non point l'effet d'une tiédeur réformiste
de Turgot, mais, ce qui est plus intéressant, les caractéristiques d'une position lucide sur une situation politique quant à elle encore tiède. Nul ne saurait sérieusement reprocher à Turgot de n'avoir point été un
sans-culotte, et l'on doit bien plutôt lui savoir gré d'avoir
donné corps à un antiféodalisme conscient à la fois de
la nécessité d'un changement et de celle, véritablement
déterminante, d'une dynamique propre aux mentalités.
C'est en effet dans les esprits que doit d'abord se pro-
filer la possibilité de ce changement, à la faveur d'un
contexte propice : rien ne pouvait se faire avant l'apparition de ce contexte, en dehors du cours de l'histoire,
ou de ceux à qui précisément il revenait de la faire.
Ainsi, en affirmant que ce n'est point au contrôleur
général des Finances royales de décider péremptoirement une révolution dans les institutions, Turgot laisse
à l'antiféodalisme des forces et des esprits nouveaux
le privilège et la mission de faire advenir la nécessité
historique du lent passage d'un mode de production à
un autre. Nous dirons métaphoriquement, avec l'image
de Gramsci, qu'il s'agit ici de sceller la réalité nouvelle et l'inévitable transformation des structures, dans
le « ciment » des consciences, des mentalités, des représentations, bref, de l'idéologie selon laquelle les hommes se sentent impliqués dans l'histoire et en caution-
nent les événements. Et la conscience du réformateur de

---

1. Observations du garde des sceaux et réponses de Turgot,
Œuvres complètes, édition SCHELLE, tome V, p. 184.

1766 est tout aussi pleine de l'idéologie antiféodaliste que celle d'un constituant pénétré en 89 de sa mission révolutionnaire, devant des réalités, des circonstances, des hommes que treize ans d'histoire auront transformés, mais qu'un même monde à défaire tiendra en haleine.

§ 3. Turgot : la distribution organique des richesses.

C'est justement à ce proche avenir que 1766 lègue, avec les *Réflexions sur la formation et la distribution des richesses* de Turgot, la matière d'un intense développement idéologique : ce système libéral naissant qui, nourri pendant la Révolution de tous les efforts de la bourgeoisie antiféodale, aboutira à l'affirmation du nouveau capitalisme, dès que ce dernier aura acquis une base technologique suffisante au début du XIX⁰ siècle.

Avec la perspicacité politique d'un Boisguillebert et la féconde rigueur méthodologique d'un Cantillon, Turgot introduit l'idée d'une genèse des richesses que norme la nature de la propriété où elle prend racine. La formation et la distribution des richesses sont réglées par leur propre interdépendance, et la fonction économique de ce que les mercantilistes traitaient comme une entité monolithique, la richesse, est déterminée par le lieu et l'emploi qu'occupe cette dernière dans le système de la propriété. Ainsi, la distribution des richesses peut favoriser ou entraver le processus même de leur formation en tant que telles. Elle peut aussi le bloquer si elle n'est pas correctement orientée vers l'échange des marchandises, ce qui est le cas pour la distribution des biens dans le système féodal de la propriété : le mode de propriété fonde la possibilité et la nature de l'enrichissement.

C'est sur cette implication que s'ouvrent les *Réflexions* de Turgot :

> « Si la terre était tellement distribuée entre tous les habitants d'un pays, que chacun en eût précisément la quantité nécessaire pour se nourrir, et rien de plus, il est évident que, tous étant égaux, aucun ne voudrait travailler pour autrui; personne aussi n'aurait de quoi payer le travail d'un autre, car chacun, n'ayant de terre que ce qu'il en faudrait pour produire sa subsistance, consommerait tout ce qu'il aurait recueilli, et n'aurait rien qu'il pût échanger contre le travail des autres. [1] »

En envisageant l'hypothèse (purement heuristique, dit-il aussitôt) d'une neutralité parfaite de la distribution des richesses naturelles, Turgot montre ici qu'il est impossible à une richesse spécifique, à une quelconque plus-value, de se former sur la base de cette distribution. C'est la distribution des richesses, autrement dit, qui détermine la création du surcroît de bien sans lequel elles ne sauraient valoir pleinement comme richesses.

Pas de formation des richesses si ces dernières ne sont adéquatement distribuées, et pas de véritables richesses à distribuer si cette distribution n'est orientée vers la formation de richesses nouvelles : telle est la teneur de l'implication posée ici par Turgot. Elle indique l'invalidation qu'il entend faire d'une idée de la Richesse, fait global donné d'avance, indépendant des conditions, le système de propriété au premier chef, dans lesquelles s'inscrit son développement. La richesse se forme bien dans les différences de la distribution,

---

1. *Réflexions sur la formation et la distribution des richesses*, *Œuvres complètes*, édition SCHELLE, pp. 534 à 602. Ici, citation intégrale du § 1, moins le titre.

et si cette distribution est indifférente, ou neutre, la richesse ne peut se produire ni se spécifier.

Mais en même temps, Turgot semble ici préoccupé de rendre caduque la représentation traditionnelle inverse de celle qui précède, mais corrélative : c'est celle d'un système de distribution des richesses qui fixerait une fois pour toutes leur quantité et leur nature, assignant un lieu définitif à la richesse, et un caractère privilégié à ses détenteurs exclusifs. On voit tout de suite que c'est cette conception qui sous-tend toute une organisation féodale de la propriété nobiliaire, richesse donnée elle aussi d'avance, abstraite du circuit des échanges, et artificiellement maintenue prospère par des privilèges économiques extérieurs à toute fonction dynamique de cette propriété.

Il ne peut en somme y avoir de fermeture de la richesse sur elle-même, elle est forcément impliquée dans une circulation générale des produits, qui lui prescrit une distribution opératoire eu égard aux nécessités de l'économie. Les vieux problèmes du mercantilisme concernant l'accroissement et la diminution de la richesse, posés jadis sur le mode d'une distinction statique entre être et non-être, se trouvent ici comme éclatés, reposés en termes de mouvement et de fonctionnement économique. Turgot ne parle des richesses qu'en regard à l'histoire, qu'il retrace scrupuleusement, de leur formation. Et cette formation n'est formation de richesses authentiques que dans la mesure où elle est l'histoire de leur distribution : « toute terre trouva son maître », dit-il au § X; elle valut alors comme richesse. Il n'est de richesse que richesse *pour*.

Celle qui intéresse un détenteur n'est ainsi définie comme sienne qu'à la faveur d'un transfert, d'une acquisition faite par lui au détriment d'un autre :

> « La portion du propriétaire dissipateur ou malheureux tourne à l'accroissement de celle du

propriétaire plus heureux ou plus sage... » écrit Turgot au § XIII sous la rubrique « Suite de l'inégalité ».

Cette inégalité est le principe même de ce perpétuel transfert en lequel consistent simultanément la formation et la distribution des richesses : c'est une inégalité d'équilibre, où ce qui est pris par l'un en surcroît par rapport à l'autre, bien loin d'être un aberrant superflu, constitue l'essence même de la richesse. Et dans la mesure où le régime que Turgot avait sous les yeux devait lui confirmer l'importance de certains processus économiques, il dut être frappé par le système des lods et ventes, droit très onéreux qui taxait la richesse acquise par tous ceux qui pratiquaient une quelconque transaction immobilière sur des biens leur appartenant, mais situés dans les limites de la seigneurie : c'était bien là que naissait la richesse, dans cet échange, dans cette redistribution, et comment les rapaces du système féodal eussent-ils laissé passer cette occasion de prélever sur la richesse naissante, comment l'eussent-ils laissée se faire sans déjà accaparer sa première fleur ?

L'hypothèse qui ouvre les *Réflexions,* envisageant le temps d'une subdivision de traité, la possibilité d'une égalité totale dans la distribution des terres, est aux yeux de Turgot absurde parce que, justement, elle interdit tout mouvement de balance entre des biens inégaux, et fige dans une monolithique adéquation les tendances concurrentes qui, à chaque formation de richesse, font correspondre une distribution conséquente, elle-même base d'une nouvelle formation. Cette inégalité, avec le jeu qu'elle rend possible, contient dans sa foncière mobilité la dimension de toute une histoire des richesses, et le rapport inversement proportionnel selon lequel se renvoient l'une à l'autre, dans cette histoire, leur formation et leur distribution.

L'histoire proprement dite, et avec elle la véritable

distribution, ne s'instaure qu'avec la reconnaissance par les hommes de la richesse comme telle; le produit d'un effort et d'une mise en œuvre technologique, la culture d'une terre par exemple, est alors doué d'une valeur spécifique, investi d'une capacité marchande, rendu l'objet éventuel d'un échange : ce produit, comme fruit de réelles transformations, et non comme trésor tout fait, est dès lors désiré en vue d'une appropriation, il est à distribuer. C'est pourquoi l'hypothèse d'une neutralisation des richesses par une distribution égalitaire

> « n'a jamais pu exister, parce que les terres ont été cultivées avant d'être partagées, la culture même ayant été le seul motif du partage et de la loi qui assure à chacun sa propriété [1] ».

On s'inscrit donc ici dans une obligatoire intégration de la propriété, comme richesse, au sein d'un circuit d'échanges. Ces échanges ne sont pas encore effectués qu'une valeur d'échange est assignée aux richesses reconnues utiles et faisant l'objet d'une appropriation à venir. C'est dire que la reconnaissance de la valeur d'usage du travail matérialisé coexiste avec la reconnaissance de sa valeur d'échange : tout le circuit des échanges où s'inscrit le mouvement conjugué de formation-distribution des richesses, tient et se fonde dans cette coexistence. Et avant la phase de distribution qui suit et valide comme telle la formation des richesses, on ne peut parler ni de valeur d'usage ni de valeur d'échange réalisées, mais simplement d'une manifestation du produit du travail comme valeur, manifestation qui appelle sa reconnaissance et sa réalisation.

On peut ici mettre en lumière la genèse retracée par Turgot, à l'aide du texte de Marx sur l'organisation des échanges, dans le chapitre à eux consacré, et qui

---

1. *Réflexions...*, § II.

s'ouvre sur la fameuse constatation de ce que « les marchandises ne peuvent point aller elles-mêmes au marché ni s'échanger elles-mêmes entre elles [1] ». Ainsi, ce que Turgot tente de définir, c'est dans quelle mesure la recherche par les uns et les autres d'un échange des produits de leur travail est contemporaine d'une reconnaissance de ces produits comme à la fois valeur d'usage et valeur d'échange, à la fois marchandise et équivalent universel monétisé, à la fois richesse à distribuer et richesse à former.

Ainsi, la nécessité de la division du travail [2] amène chacun à trouver dans ce qu'il produit la matière d'un usage et d'un échange.

> « Le laboureur tirait de son champ la plus grande quantité de productions possible, et se procurait bien plus facilement tous ses autres besoins par l'échange de son superflu qu'il ne l'eût fait par son travail [3]. »

Plutôt que de s'obstiner à tuer un bœuf pour se faire une paire de souliers, à couper un arbre pour confectionner ses sabots [4], il envisage cet arbre et ce bœuf comme des marchandises, c'est-à-dire comme des non-valeurs d'usage, et il engraissera le bœuf, cultivera l'arbre, n'eût-il ni les moyens de manger la moindre partie de cette viande, ni le goût d'avaler un seul de ces fruits. Pour ce paysan, devenu ici échangiste,

> « la marchandise, dit Marx, n'a aucune valeur utile immédiate; s'il en était autrement, il ne la mènerait pas au marché. La seule valeur utile

---

1. Karl MARX, *Le Capital*, livre I, première section, chap. 2, Editions sociales, p. 95.
2. *Réflexions...*, § III.
3. *Réflexions...*, § III.
4. *Réflexions...*, § IV.

qu'il lui trouve, c'est qu'elle est porte-valeur, utile à d'autres et, par conséquent, un instrument d'échange. Il veut donc l'aliéner pour d'autres marchandises dont la valeur d'usage puisse le satisfaire [1] ».

Il semble que ce jeu sur la valeur d'usage et la valeur d'échange, pivot central du processus de formation et de distribution des richesses, soit clairement conçu par Turgot, ainsi que l'abandon que ce jeu implique de toute représentation figée de la richesse, cette dernière étant ici réduite à un rapport entre les deux pôles de la valeur.

Sur ce jeu vient se greffer, comme décrit par lui, le rapport entre possession et formation de la richesse, qui reproduit très étroitement le rapport précité entre la reconnaissance de la valeur d'usage et celle de la valeur d'échange du travail matérialisé. Ici, la reconnaissance de la valeur d'usage apparaît bien chez Turgot comme étant au centre du système de propriété. La valeur d'usage est en effet le mobile de l'aliénation comme de l'appropriation : d'une part, l'échangiste a conscience de l'usage que peut faire un autre de sa marchandise, pour lui inutile en tant que simple denrée. C'est bien en fonction de cet usage pressenti par lui que l'échangiste passe dès lors au stade de la valeur d'échange, et traite son travail matérialisé comme une marchandise dont autrui reconnaîtra pour soi-même l'utilité : si le laboureur dont parle Turgot ne consomme pas son bœuf et ses fruits, s'il se fait vendeur de ces marchandises, c'est bien que tout d'abord il sait le cordonnier désireux de les consommer en tant que denrées, et conscient de leur valeur d'usage au point de la reconnaître sous la valeur d'échange qu'elles revêtent au marché.

---

1. Karl MARX, *op. cit.*, p. 96.

> « Le cordonnier, en faisant des souliers pour
> le laboureur, s'appropriait une partie de la récolte
> de celui-ci [1]. »

Le désir de posséder est en effet au centre du transfert au cours duquel le travail matérialisé se pare d'une
valeur d'échange différente de celle pour laquelle il
est échangé. Et si, comme le résume Marx,

> « toutes les marchandises sont des non-valeurs
> d'usage pour ceux qui les possèdent et des valeurs
> d'usage pour ceux qui ne les possèdent pas [2] »

la possession recouvre bien de part en part la différenciation, propre à l'échange, des deux types de
valeur : elle forme précisément le contexte général de
l'échange, ce qui dans les termes de Turgot signifie
que la distribution des richesses contient le mouvement
même de leur formation.

C'est pourquoi, d'autre part, de même que la représentation de la possession est nécessaire à l'échangiste
qui sollicite chez autrui la reconnaissance d'une utilité
dans la marchandise qu'il lui vend, de même le souci
de la possession est ce qui amène l'acheteur au marché,
et le fait entrer dans le circuit de l'échange. Il reconnaît
ainsi la nécessité pour les marchandises « qu'elles pas-
sent d'une main dans l'autre sur toute la ligne [3] »,
puisque leur valeur d'usage ne se réalise qu'à travers
cet échange, puisque seul cet échange indique qu'elles
valent la peine d'être possédées, et que le travail
dépensé à les produire peut satisfaire des besoins
étrangers.

Nous avons donc traduit en termes marxistes l'importance que donne Turgot, au sein d'un appareil concep-

---

1. *Réflexions...*, § **IV**.
2. Karl **Marx**, *op. cit.*, p. 96.
3. *Ibidem, op. cit.*, p. 96.

tuel encore fruste, à la possession des richesses dans le processus qui les fait valoir comme telles. Sous les registres psychologiques et mécaniques des « motifs » et des « réflexions » qui disposent les hommes à un « arrangement », voire à une « nécessité physique », Turgot construit un rapport complexe entre la réalisation du travail matérialisé comme valeur d'usage — son appropriation par les hommes —, et sa manifestation comme valeur d'échange — sa formation comme richesse.

Dès lors se pose, au sein de ce rapport, la question de la conjugaison logique de ces deux phases concurrentes et antagonistes. L'appropriation des richesses a pour gage leur valeur de richesses, et la formation de cette valeur ne peut s'effectuer sans la distribution qui doit se faire des richesses à leurs utilisateurs. C'est ce que nous venons de voir. Mais dans la perspective diachronique où se place Turgot pour retracer les phases successives de l'histoire des richesses, il ne suffit pas d'établir une correspondance logique entre les deux termes de cette histoire (formation comme valeur d'échange — distribution comme valeur d'usage). Encore faut-il qu'à ces derniers soit assigné leur moment spécifique par rapport au processus tout entier de la production et du travail. En effet, Turgot remonte peu à peu le cours de ce processus, en inscrivant dans la chronologie les nécessités logiques de l'échange, et de la formation-distribution des richesses : les deux ordres coexistent dans une même genèse qui, de motif en résultat, organise selon un modèle historique les déterminations principales de l'économie marchande. Un exemple de cette double ordonnance, où l'histoire prend le relais de l'analyse économique pure : au § VIII, on arrive au résultat d'un long partage de la société et des forces productives, conçu par Turgot selon l'ordre chronologique d'une succession d'étapes, et devant marquer le début d'étapes ultérieures. C'est donc une « pre-

mière division de la société » qu'il veut faire ressortir
de l'indivision constatée jusqu'à cette date — il s'agit
véritablement d'une date —, mais cette primauté, bien
plus qu'elle n'inaugure, fonde tout l'édifice de l'ordre
économique, de telle sorte que la « première division »
constitue ici la division principale, nécessaire et essentielle de la société envisagée. « Voilà toute la société
partagée » dit l'historien, « par une nécessité fondée
sur la nature des choses » ajoute l'économiste : et il
est clair que l'économiste ne se fait ici historien que par
l'effet d'une convention instauratrice d'un ordre idéal,
écartant comme Rousseau tous les faits, appliquant aux
nécessités de la structure économique la grille d'une
histoire sans épaisseur, enchaînement de pure méthode,
à fonction exclusivement heuristique.

Mais pour n'être que grille, la grille n'en est pas
moins stricte, et organise suivant son ordonnance propre l'ensemble du processus de formation et de distribution des richesses, différencié selon ses mêmes lois.
Ainsi, la réciprocité logique de la formation de la
valeur d'échange et de la distribution de la valeur
d'usage doit elle aussi subir le traitement de cette
historicité désincarnée, et rendre compte de sa réalité
dans les formes d'un déroulement diachronique. On se
situe à cette croisée des chemins de la théorie de
l'Histoire, où la nécessité peu à peu ressentie de l'historicité doit rivaliser, biaiser, et enfin composer avec le
vide théorique et le refoulement auxquels, avant Hegel,
cette historicité demeure condamnée. Turgot, d'une
façon parfaitement aveugle, lui qui n'est même pas ici
philosophe, se trouve pris dans cette aporie : il découvre la fonction heuristique de l'histoire tout en recon-
duisant tacitement la vieille opposition cartésienne entre
ordres logique et chronologique; il met en œuvre le
plan d'une genèse, cependant qu'il la vide de toute sa
réalité, et distord l'un de l'autre le fait et l'histoire.

Le modèle historique ne laisse pourtant pas de

fonctionner, et Turgot va se demander quelle est, outre la nécessité logique de leur fonction économique, la source circonstancielle de l'apparition de chaque processus. A la lumière de cette source, il croit pouvoir comprendre le fonctionnement qui en découle, il en éprouve du moins l'intelligibilité. Le contexte social où se déroule l'opération de reconnaissance de la richesse doit en effet éclairer la nécessité et le sens de cette opération, ses causes, ses moyens, sa fin économique. Il faut savoir qui est l'échangiste pour comprendre le fonctionnement de l'échange, qui est le producteur de travail utile et qui en est l'acquéreur, pour concevoir la représentation qu'ils se donnent réciproquement de la richesse. C'est seulement en rattachant l'opération de formation-distribution des richesses à des origines et à des motivations sociales, en ramenant ce qui s'opère aux mobiles d'un ou plusieurs opérateurs, que Turgot croit pouvoir rendre compte de la dimension génétique nécessaire selon lui à la compréhension d'un fonctionnement logiquement défini.

Ainsi, le problème de la formation et de la distribution des richesses, au lieu d'être ramené à une équation dont Turgot possède d'ores et déjà les termes clés, ne trouvera son traitement et sa résolution qu'à la faveur d'une mise en corrélation de chacun de ses éléments avec chacun des éléments de la réalité sociale où ce problème se pose, non pas certes dans les faits (ils sont écartés de cette histoire idéale), mais *de fait*. On voit déjà ici le souci de cette économie bourgeoise du XVIIIe siècle de rester implantée dans la réalité sociale, et de ne parler en général que pour embrasser le plus largement possible cette réalité dont elle veut, à tous les niveaux et à tous les sens, se saisir. De même, oserons-nous dire, que la dramaturgie bourgeoise ne prétend peindre des caractères universels que pour se faire aussi touchante que la réalité quotidienne exhibée sur son théâtre. De même, l'économie naissante que se donnent ces hommes ne privilégie pas les rapports fondamentaux de la réalité économique dans un autre but que celui de fixer à chacun sa place dans ces vastes rouages, et d'en contrôler le mouvement à travers un ensemble d'attitudes simultanées. Ces ambitieux ne se tiennent au général que pour mieux embrasser le particulier, et n'arpentent les contours de l'universel que pour mieux y poser les jalons multiples et singuliers de leur toute-puissance.

Ici, c'est donc à l'attitude du producteur de travail matérialisé utile, que Turgot suspend la détermination de ce qu'est véritablement la reconnaissance par les échangistes de la valeur d'usage. Si le producteur se trouve être un laboureur (petit propriétaire paysan, en France très répandu à l'époque), son travail matérialisé remplira toutes les conditions qui permettront à des acquéreurs de reconnaître la valeur d'usage de ce travail, et à ce producteur lui-même de compter sur cette reconnaissance. En effet, c'est dans le cas du travail agricole que la valeur d'usage du travail matérialisé trouve la plus grande prise sur le désir du non-possesseur : les produits de l'agriculture sont au plus haut titre porteurs d'utilité, ils remplissent les besoins principaux et primordiaux des hommes, nul ne saurait se passer d'eux. A cette époque où le pain constituait le principal moyen de subsistance des masses laborieuses, et où la mauvaise récolte, les dommages causés aux terres et aux bestiaux, étaient encore les fléaux les plus redoutés, à cette époque, en effet, le produit de la culture était la première affaire de tout le corps économique et social. Et par l'effet de cette même prééminence, le revenu agricole était la valeur canon de tout l'édifice des salaires et des prix : nul salaire n'atteignait en proportion le revenu agricole, et nul prix n'augmentait si vite que celui des denrées alimentaires.

Aussi, pour le paysan, le plus important était-il

d'être vendeur, afin de se rendre profiteur de la hausse séculaire, particulièrement sensible dans son secteur. Ce qui fait dire à Turgot dès 1761, dans un projet d'édit, que le paysan propriétaire ne prend la peine de semer et de récolter que dans l'espoir d'un gain sur le produit de son travail, une fois ce dernier converti en marchandise :

> « Le laboureur ne cultive donc qu'autant qu'il peut vendre son grain et le vendre assez cher pour y gagner; s'il cessait de gagner, il cesserait de cultiver [1]. »

Et si la réalité des prélèvements féodaux et de la précarité des techniques agricoles à cette époque fait que la majorité des cultivateurs, fussent-ils propriétaires, était composée d'acheteurs dont le revenu ne suffisait pas à couvrir les besoins de consommation, il n'empêche que Turgot voit juste en plaçant si haut l'espoir pour le laboureur de convertir son travail en marchandise. Car cet espoir est, selon ses propres termes, « le mobile de la culture ». En en rendant compte, l'on rend compte aussi de toute la dynamique des échanges, dont cet espoir constitue le premier moteur.

Les produits de l'agriculture sont donc à la fois le canon de toute valeur d'usage et son expression la plus pure, dans la mesure où ces biens de première nécessité remplissent le mieux la nécessité logique propre à la valeur d'usage en général. La détermination d'une nécessité de la fonction économique passe ici par la mise en évidence d'un type de fonctionnement exemplaire, et la loi générale ne s'affirme pas comme telle sans le secours du cas particulier. Turgot fait d'un aspect principal du besoin (la reconnaissance d'une

---

1. Turgot, « Projet de lettre au contrôleur général Bertin sur un projet d'édit », 1761, *Œuvres complètes*, édition Schelle, tome II, pp. 122-128. Ici, citation du § I.

denrée de première nécessité), le principe même du besoin dans l'échange. La primauté logique est comme aplatie sur la primauté circonstancielle : comme si la valeur des richesses dépendait ici de leur forme dans l'échange, de ce qu'il fût plus ou moins empressé, de ce que son enjeu fût plus ou moins vital aux partenaires, de ce qu'ils en fussent plus ou moins touchés... Manière de concevoir la réalité économique à travers ceux qui la vivent, que Turgot semble emprunter ici à l'idéal de la comédie de mœurs ! Et dans un domaine strictement économique, élégante façon de privilégier dans l'échange des richesses le prix que les hommes donnent aux choses, et d'effectuer sans heurt le passage entre les deux ères « des mercantilistes superstitieux et des esprits forts du libre échange [1] » !

Ainsi, si une règle subordonne le travail matérialisé à sa reconnaissance comme valeur d'usage et à sa réalisation comme valeur d'échange, si cette règle à elle seule rend compte du processus général de la formation et de la distribution des richesses, l'objet des *Réflexions* de Turgot n'en est pas moins incomplètement défini à ses yeux, tant que ne lui sera pas assigné un fonctionnement exemplaire par sa marginalité de cas privilégié, et qui permettra de situer le processus entier dans un type donné de rapports de production : peinture des conditions rendant compte de toute la réalité, quand les allégories universelles ne suffisent plus.

Le fonctionnement privilégié du processus d'échange des richesses, le cas particulier qui permet à Turgot de comprendre la portée véritable de toute formation et distribution des richesses, c'est donc l'exemple du laboureur : exemple non pas en tant qu'illustration, mais comme réalisation optima, fonctionnement - modèle, degré le plus haut de réalité du processus analysé. C'est

---

1. Karl MARX, *op. cit.*, livre Ier, tome I, p. 74.

aussi le fondement de cette réalité, que le cas de ce laboureur « fournissant à tous l'objet le plus important et le plus considérable de leur consommation [1] » : il produit l'effet maximal de reconnaissance de la valeur d'usage, de la part du possesseur considérant ses futurs acquéreurs, et de la part des acquéreurs considérant leur propre besoin. Ce faisant, le cas exemplaire du laboureur fonde la primauté pour Turgot de la reconnaissance de la valeur d'usage du travail matérialisé : c'est l'appropriation à venir des richesses qui détermine leur formation en tant que telles, puisque de fait, comme l'écrit Marx, « il faut que leur valeur d'usage soit constatée avant qu'elles puissent se réaliser comme valeurs [2] ». Seulement, Turgot glisse de cette antériorité chronologique et matérielle (dans le cas du laboureur dont on a besoin *avant* tout le reste), à une antériorité logique fondamentale, de la condition particulière à la possibilité générale de la fonction économique. Et ce glissement s'opère alors même que Turgot, en ne donnant pas sa dimension proprement historique à la genèse idéale qu'il trace des richesses, reconduit comme nous l'avons expliqué la nécessité d'une distorsion entre l'incidence des faits et la logique du système économique. Voici donc que dans le sol des terres cultivées s'enracinent indifféremment la distribution des récoltes aux consommateurs locaux et le processus général de cette distribution : les racines du fait et celles de la fonction semblent s'être tacitement confondues, à la faveur d'une rivalité souterraine où le fait, brimé par la méthode, aurait repris ses droits et imposé sa loi à toute l'analyse. Comme si les conditions concrètes des processus socio-économiques, sans pouvoir encore être intégrées à l'analyse au point de constituer son objet premier, ne pouvaient cependant plus en être

---

1. *Réflexions...,* § V.
2. Karl MARX, *op. cit.,* livre Iᵉʳ, tome I, p. 96.

délibérément écartées au titre de simples faits contingents. N'est-ce pas dans les apories de semblables genèses que, de Turgot en Kant et de Sieyès en Barnave, le Siècle commence à acquérir le sens de l'histoire ?

Dès lors que pour Turgot l'antériorité de la valeur d'usage du travail agricole matérialisé n'est pas « une primauté d'honneur ou de dignité », mais qu' « elle est de nécessité physique [1] », on peut dire qu'elle fonde, de par cette nécessité (la nécessité de se nourrir), le processus entier de la formation-distribution des richesses, qu'elle en est à la fois le premier moment et le principe, « αἴτιον δε καί ἀρχή [2] ». La réduction à un cas précis de l'ensemble du processus où s'affirme l'antériorité de la valeur d'usage sur la réalisation de la valeur d'échange, peut apparaître comme expérimentale, et localisée, dans la méthode, aux fins d'un résultat témoin : la mise en évidence de ce que peut, *à l'occasion,* signifier pour un producteur la constatation par autrui de l'utilité de ses produits. Mais la place ainsi donnée à ce refoulement de la valeur d'échange par la valeur d'usage, loin d'être purement heuristique et de favoriser un dégagement idéal des conditions spécifiques à *toute* distribution des richesses, remplit une fonction logique essentielle et définitive. Elle sert de base à tout le système, fondant également l'ensemble du processus de la richesse et l'ensemble de la démarche de l'économiste. Elle organise, selon l'ordre qu'elle a fait localement apparaître, l'intégralité des rapports impliquant l'échange des richesses.

> « Dans cette circulation, qui, par l'échange réciproque des besoins, rend les hommes nécessaires

---

1. *Réflexions...,* § V.
2. ARISTOTE, *De anima,* II, 4, 415 b 15, édition BEKKER, « Pour les vivants, vivre est l'être même et *la cause comme le principe* de ces derniers, c'est l'âme. »

les uns aux autres et forme le lien de la société, c'est donc le travail du laboureur qui donne le premier mouvement [1]. »

C'est la conclusion nécessairement tirée, suivant cette méthode, de la constatation d'une « prééminence du laboureur qui produit [2] » et qui réalise dans son travail l'essentiel de toute production de richesse. Ce qui a été premier une fois l'est aussi à n'importe quel moment du système, l'histoire, s'il y en a une, reproduit les mêmes objets économiques selon le même modèle, tout comme la géométrie les mêmes objets mathématiques, selon aussi le même modèle, et ainsi que le dit Kant, « für alle Zeiten und in unendliche Weiten [3] ».

Quel avantage Turgot tire-t-il de ce glissement et de cette assimilation d'une primauté fonctionnelle à une autre ? Celui d'une adéquation parfaite de la genèse du processus à son effectuation synchronique : parce que le laboureur effectue de la façon la plus décisive pour le circuit économique, et la plus exemplaire pour l'analyse, le transfert valeur d'usage-richesse, parce que le seul fait pour lui de travailler lui assure un dépassement de ses besoins [4], il y a dans son activité le raccourci de tout le procès de la richesse, de l'orientation de la production vers la valeur d'échange. Le laboureur — entendons par là très généralement le petit producteur agricole — condense au lieu propre

----

1. *Réflexions...*, § V.
2. *Ibidem*, titre.
3. KANT : *Kritik der Reinen Vernunft*, Vorrede zur zweiten Auflage, 24, Reclam, Stuttgart. Traduction : « Pour tous les temps et dans d'infinis lointains. »
4. Nous renvoyons ici à l'excellente analyse que produit de la petite propriété agricole Ernest LABROUSSE : *La Crise de l'économie française...*, livre II, chap. 5, § 1, notamment sur le profit viticole, pp. 555 à 559.

de son « industrie » la formation des richesses comme marchandises et la formation de ces marchandises, simples objets de circulation, comme richesse. Parce qu'il est la source de certains objets exemplairement appelés à constituer de la richesse, le laboureur

> « est donc l'unique source de toutes les riches-
> ses qui, par leur circulation, animent tous les
> travaux de la société [1] ».

L'essence de la richesse-fonction économique étant ainsi réduite à tel comportement local des richesses-objets économiques, la richesse comme nœud d'un rapport de possession dépossession et d'échange se résolvant de la sorte dans l'objet porteur de richesse, Turgot peut dès lors assimiler l'un à l'autre le principe d'une genèse de la richesse et le premier moment de l'histoire des échanges : la richesse produite par le travail du laboureur, née de la seule nécessité de ses produits, est une richesse naturelle, purement surgie de l'homme, suggérée à lui par personne sinon par la force physique des choses. Elle est à ce titre un commencement absolu, cause matérielle de la prospérité du laboureur et principe fondamental de tous les rapports de production au sein d'une même société, et cela parce qu'elle se constitue « indépendamment de tout autre homme et de toute convention [2] ».

De fait, il était indispensable à la représentation donnée par Turgot de la richesse, que l'archétype de toute formation de richesse fût enraciné dans une production naturelle : cette naturalité est le gage du double caractère de genèse effective et d'histoire idéale que doit nécessairement présenter le processus décrit par Turgot, s'il doit rendre compte à la fois de la primauté effective

1. *Réflexions...*, § VII.
2. *Ibidem.*

et de la primauté idéale de la distribution des richesses selon un système rentable de propriété. En effet, renvoyer le modèle de la formation des richesses à un principe naturel, permet d'insister autant sur son caractère non contingent et non artificiel, donc nécessaire et premier à la fonction économique tout entière, que sur son aspect de référence effective, de premier fait réellement advenu dans le processus économique en question, et donc, sur la valeur exemplaire à tous les titres de cette « richesse indépendante et disponible [1] », vendue et non achetée, imposée par l'ordre des choses. Cette source exclusive de toute richesse qu'est pour Turgot un type donné de travail, celui du laboureur, remplit dans le processus général un rôle à la fois marginal et définitif. Définitif en ce que, comme nous le voyions précédemment, la nécessité physique du surgissement *ex nihilo* de la richesse est d'une force que ne freine aucune résistance, aucune convention humaine, et qui se meut spontanément dans le vide de l'immédiateté naturelle : « La nature ne marchande point avec lui pour l'obliger... », dit Turgot du laboureur qui reçoit, indépendamment de tout besoin et de toute condition, cette manne précieuse « que la nature lui accorde en pur don [2] ». Mais ce travail du laboureur, pour se trouver aussi spontanément porteur de richesse, n'en reste pas moins marginal par rapport au processus de formation et de distribution des richesses : il se situe en deçà de la circulation et de la série d'actes sociaux qui permettent à la marchandise de se réaliser à tous les titres de sa valeur. Turgot place cette source en amont, dirions-nous, « de toutes les richesses qui, par leur circulation, animent tous les travaux de la société [3] » : le seul travail à n'être, lui, pas animé par

---

1. *Réflexions...*, § VII.
2. *Ibidem.*
3. Réflexions..., § V.

cette circulation, celui précisément du laboureur, ne peut ainsi constituer un acte social général par lequel, notamment, toute marchandise issue de tout travail soit rendue équivalente à toute autre, et vale comme marchandise plutôt que comme produit particulier.

Il y a ici, à ce niveau de la démarche de Turgot, une réelle contradiction entre la fonction exemplaire et fondamentale dont est investi le travail agricole, source unique de toutes les richesses, et la particularité foncière selon laquelle il remplit ce rôle, isolément du circuit éminemment social de la circulation. Le travail de la terre par le laboureur est à la fois le produit d'un ordre social (la terre lui appartient et il la cultive dans le but d'un profit), et l'acte d'un être que nulle circulation n'a encore rendu social. En effet, s'il est sûr que l'acte fondateur de toute la distribution des richesses constitue un travail impliqué « dans l'ordre des travaux partagés entre les différents membres de la société [1] », il n'en reste pas moins que cet acte n'est fondateur et n'a de primauté que dans sa particularité de travail agricole antérieur à toutes les différenciations sociales instaurées au cours de l'échange. C'est-à-dire que cette primauté réside à la fois dans le caractère exemplairement social du travail agricole (Turgot insiste sur le fait que le laboureur ne produirait pas s'il n'était sûr de vendre et de s'enrichir), et dans son caractère anté-social. L'homme qui devient riche par le moyen de ce travail l'est d'avance, puisqu'il détient le moyen de production suprême, et la plus assurée des richesses, celle que la nature lui donne en partage. Il n'empêche que si ce travail ne se matérialise pas en denrées à vendre, si ce qu'il a le privilège de consommer sur place n'intéresse pas à leur tour d'autres consommateurs, il ne reconnaîtra point la validité de cette richesse, et cessera de travailler pour la réaliser. Le laboureur a

---

1. *Réflexions...*, § V.

beau être « le seul dont le travail produise au-delà du salaire du travail [1] » sans l'intervention d'aucun échange, c'est néanmoins à l'épreuve de l'échange que devront se mesurer l'un l'autre et se différencier le travail du laboureur et le travail salarié en général. Enfin, bien qu'exclu par avance de tout marchandage, et cela au nom de son caractère naturel (« La nature ne marchande point... [2]), le produit du travail agricole, dont tout le privilège tient à ce qu'il suscite les échanges les plus empressés et les plus sûrs, est à ce titre nécessairement appelé à fonctionner comme marchandise. Il est donc tout aussi indispensable que contradictoire pour Turgot d'assimiler à une production de marchandise la formation de cette richesse immédiatement saisissable qu'est la culture de la terre.

Et ici, nous ferons une parenthèse pour évoquer une réalité historique susceptible d'éclairer cette ambiguïté. A la fin de l'Ancien Régime, une catégorie de petits propriétaires-exploitants reproduit dans l'effectivité de son rôle socio-économique la dualité caractérisant pour Turgot le statut du travail agricole : ce sont les petits vignerons. Ici, nous nous plaçons dans la perspective fort pertinemment élaborée par Ernest Labrousse, dans l'analyse citée plus haut. En effet, la petite culture de la vigne présente le double caractère de n'exiger pour sa préparation, « aucun espace, aucun capital foncier à l'origine », dit Labrousse [3]. C'est bien donc le rôle de premier moment de la circulation économique, déterminant des échanges ultérieurs sans être déterminé par eux, que remplit ici ce type d'exploitation. La vigne est par excellence, cette richesse qui fait de la production agricole, selon Turgot, le premier moteur du système des échanges. La vigne pousse aussi bien sur des terres

---

1. *Réflexions...*, § **VII**.
2. *Ibid*.
3. E. Labrousse, *op. cit.*, p. 555.

amendées et savamment disposées à la culture suivant les préceptes des agronomes alors en vogue, que sur des lopins frustes et demeurés à l'état de friche depuis l'aurore des cultures : la nature se fait là féconde. Le vigneron, à propriété égale, récoltera ainsi en pur surcroît ce que le producteur céréalier, déjà déterminé par le système des rapports sociaux, consacre soit au paiement de redevances bien plus élevées, soit à l'entretien de ses cultures.

> « Il faut par contre autour de la parcelle en blé le silence de la jachère et l'apport de la prairie... A ce compte, ce n'est plus un poids de fruits quatre fois supérieur que porte la terre à vigne; mais presque douze fois[1]. »

La culture viticole se situe bien à ce point d'immédiateté et d'indétermination sociale qui pour Turgot représente l'idéal même de la production agricole : le vigneron est assez peu inscrit dans les rapports sociaux de l'échange, assez peu organisé en fonction de leurs exigences pour pouvoir jouir de tout ce que lui a donné la nature sans avoir à faire au préalable la part d'une trop forte contrainte économique. Avec ce qu'il a *hic et nunc,* le vigneron est en mesure de vivre. Il remplit aussi bien le rôle d'un producteur placé en amont de tout le circuit social des échanges, que celui d'un vendeur sachant systématiquement orienter sa production vers la valeur d'échange : car le vigneron est le producteur agricole qui consomme la plus petite partie de sa récolte; la modeste consommation domestique due au fait que seul le chef de famille est censé boire du vin, contribue à ce que l'essentiel du produit des cultures soit converti en marchandise ce qui ne peut se faire pour la petite production céréalière, la

_____

1. E. Labrousse : *op. cit.,* p. 557, où l'auteur montre comment le vigneron échappe à la contrainte des soles.

famille paysanne consommant (au poids) de pain « trois fois et demie plus que de vin [1] ». La petite production viticole est donc spontanément ouverte sur l'échange des marchandises, tout en restant, par le peu d'apport technologique qu'elle suppose, une activité que chacun peut pratiquer. (Encore aujourd'hui, c'est le matériel viticole qui supporte de rester retardataire.) La vigne remplit à ces titres la double et contradictoire exigence qui assure selon Turgot une place de commencement et de principe de la circulation à la production agricole. Le vigneron, type possible de petit propriétaire sur lequel repose la mise en mouvement et la perpétuation du circuit d'échanges, « est autonome. Il est patron. Capitaliste sans capital, il vit d'un profit ». Il se situe dès lors au seuil, voire en marge de toute influence économique précise, à la croisée des forces et des courants, tout entier impliqué dans l'échange, puisqu'il vend presque tout ce qu'il produit et achète presque tout ce qu'il consomme, mais pourtant tout entier soustrait aux exigences de l'échange puisqu'il possède trop peu et trop médiocre pour stocker et manœuvrer, pour défendre son profit. « Le profit viticole, dit Labrousse, c'est le revenu parcellaire qu'un faible stock défend mal [2]. »

Dans la mesure où Turgot a cru important d'isoler le caractère ambigu de la petite propriété agricole et de sa fonction économique privilégiée, nous devons reconnaître dans le statut du petit vignoble, son type le plus achevé, une position-clé dans le circuit des échanges. Il fallait que l'activité ainsi mise en relief pour servir de moteur à l'accumulation se trouvât, comme la viticulture, aussi autonome par rapport aux

---

[1]. E. LABROUSSE, *op. cit.,* pp. 557-558. Le vigneron-métayer n'est évidemment pas ici apte à servir d'exemple.

[2]. E. LABROUSSE, *op. cit.,* tome I, livre II, chap. 6, § 2, p. 581.

échanges que disposée à les mettre en œuvre. A la fonction exemplaire dont Turgot pare dans sa théorie une forme jamais précisée de propriété parcellaire, répond ici terme à terme la fonction exemplaire dont se pare dans la lutte antiféodale le petit vignoble. Le rôle révolutionnaire de l'entreprise viticole, « type de l'entreprise populaire [1] » éclaire le rôle privilégié du cultivateur, et « cette primauté naturelle et physique qui le rend le premier moteur de toute la machine de la société [2] ». Aucun cultivateur n'est en effet aussi indépendant par rapport aux instances du circuit, que le vigneron :

> « Contre le décimateur, contre le grand propriétaire, contre le fermier des dîmes et des droits, contre l'exploitant du grand domaine — et, de ces personnages qui incarnent le capital foncier largement entendu, plusieurs ne font qu'une seule et même personne — sa réaction est libre en tout temps. Contre « l'accapareur », c'est-à-dire contre le capital foncier producteur de céréales, accapareur par dimension, par nature, beaucoup plus que par manœuvre, rien ne le retient, rien ne l'incite à modérer ses coups. Il peut frapper avec une violence tout urbaine, trouvant dans son indépendance la force sans contrainte que l'ouvrier des villes trouve dans la cohésion et dans l'anonymat (...). Contre les barrières et les aides, contre l'impôt de consommation qui atteint au total plus durement la population urbaine que la population rurale dans son ensemble, l'alliance du vigneron et du consommateur populaire des villes est spontanée, permanente, générale [3]. »

---

1. F. Labrousse, *op. cit.*, t. I, livre II, chap. 5, § 1, p. 555.
2. Turgot, *Réflexions...*, § XVII.
3. E. Labrousse, *op. cit.*, tome I, livre II, chap. 6, § 2, pp. 597 et 600.

Cette longue citation d'E. Labrousse nous fait apprécier tout le poids historique des caractères idéaux dont Turgot pare la fonction agricole : en effet, ce qui fait pour lui la spécificité et l'exemplarité du rôle des laboureurs, c'est précisément ce qui se voit sous une forme achevée et concrète dans la personne du vigneron. Le vigneron met en œuvre dans sa pratique sociale et révolutionnaire les principes mêmes qui, au fondement des échanges agricoles en général, font de la terre le lieu primitif de toute richesse. Ce qu'il y a d'important dans le rôle des laboureurs, ce qui le privilégie eu égard au système tout entier des échanges, et base sur lui formation et distribution des richesses, c'est justement cela même qui fait l'originalité du vigneron, et se réalise dans chacun de ses actes. La vocation économique prescrite par Turgot à la petite propriété agricole, c'est le rôle du vigneron dans la poussée antiféodale qui nous permet d'en mesurer l'ampleur et l'impact. Indépendance, radicalité, efficacité mettent la production agricole à la source de tous les échanges et de tous les profits : l'agriculteur qui se prévaut d'elles seules, le vigneron, sait être à la pointe de l'antiféodalisme, qui semble dès lors constituer la vérité de la fonction agricole ainsi définie par Turgot. Ici paraît bien qu'en privilégiant dans le circuit économique le rôle du laboureur, Turgot est très loin d'une position conservatrice : nous verrons plus bas que c'est sur le développement des forces productives et de l'antiféodalisme capitalistes que débouche vraiment son analyse; et nous pouvons dire dès ici que cette analyse, en plaçant à la source de tout enrichissement l'instance économique la plus capable d'autonomie et d'irréductible fécondité, tend à dégager la richesse du réseau complexe qu'a tissé autour d'elle le féodalisme. Si le laboureur ne jouit pas à la fin de l'Ancien Régime de toute la mesure de cette autonomie essentielle à sa fonction, si justement le vigneron se singularise par le caractère achevé qu'il peut conférer à une telle jouissance, c'est du moins que cette dernière existe en puissance dans la fonction agricole. Si en la réalisant certains secteurs de l'agriculture, et au plus haut chef le vignoble, montrent la voie de l'antiféodalisme, ils catalysent par là même les possibilités de la petite propriété terrienne dans le contexte pré-révolutionnaire, et précipitent la vocation antiféodale d'un type d'enrichissement individualiste dont Turgot fait, en libéral conséquent, le noyau de toute richesse.

Il est donc indispensable que le privilège donné à la fonction agricole débouche sur une conception progressiste du dynamisme des échanges : et nous allons voir que c'est justement en concevant ces échanges comme une dynamique des rapports de production, que Turgot se montre progressiste, et que son laboureur donne la main au marchand et au fabricant, pour que circule entre eux sans obstacle, comme un même sang, comme une même sève, le courant de l'antiféodalisme.

Reprenons l'enrichissement à sa source. Turgot perçoit que le surcroît de richesse, pur don de la nature au dépositaire privilégié de ses trésors, est « superflu [1] » par rapport au circuit des échanges; ainsi, celui qui en bénéficie

> « produit, ou plutôt tire de la terre des richesses perpétuellement renaissantes qui fournissent à toute la société la subsistance et la matière de tous ses besoins [2] »;

la nuance « produit ou plutôt tire » indique ici toute la distance qui sépare la richesse originaire et les richesses formées ultérieurement à la faveur des échanges sociaux. Il ne s'agit pas tant en effet de produire la

---

1. TURGOT : *Réflexions...*, § VII.
2. *Ibidem*, § VIII.

richesse fondamentale que de la recevoir, engendrée et non point créée, de la filiation nature-société. La richesse que le laboureur déduit de la terre est indépendante du temps même de la production sociale; phénix indifférent aux révolutions successives des sociétés, elle impose à tous les modes de production la fécondité inconditionnelle de ses prodigalités « continuellement renaissantes [1] ». Et paradoxalement, cette neutralité est le gage d'une inscription effective de la production agricole dans le terrain d'action de l'antiféodalisme, et cela parce qu'elle est la clé du mode d'enrichissement pour lequel cet antiféodalisme prend les armes.

Ainsi, la nature même de la richesse agricole exige que pour vouloir lui donner toutes ses chances, l'on prône comme Turgot la liberté du marché; car les fruits de la terre n'ont à être astreints à aucune loi commerciale et doivent combler, indifféremment des réglementations locales, les manques occasionnels des récoltes. La richesse tirée de la terre vaut universellement pour tous les cas et tous les lieux, et son principe est qu'on la laisse éclore, puis subvenir à tous les besoins qui se font çà et là ressentir, « en faisant passer les grains des provinces abondantes dans celles où la récolte a manqué [2] ». On le voit, le principe du « laisser faire, laisser passer » s'articule sur cette universalisation de la fonction économique particulière qu'est la richesse agricole. En abstrayant cette richesse du processus général des échanges et de la production des marchandises, Turgot lui confère la valeur exceptionnelle d'une origine et d'un fondement. Mais on voit que cette universalité tirée de la particularité d'une fonction précise, ne peut que s'opposer à la généralité sociale issue d'actes

---

1. Turgot : *Réflexions...*, § VIII.
2. Turgot : *Première lettre à l'abbé Terray*, 30 octobre 1770.

individuels d'échange, comme le fondement absolu s'oppose à la juxtaposition d'effets multiples.

Face à l'universelle valeur de la richesse agraire, existe en effet une unité des actes d'échange, qui assure à ces derniers un équivalent commun sur la continuité duquel ils spéculent chaque fois, et qui le leur renvoie comme image d'eux tous. Cet équivalent général, c'est évidemment la monnaie, dans laquelle se reconnaissent tous les possesseurs de marchandise soucieux d'accomplir l'acte individuel de leur échange : la monnaie constitue le général unifiant l'individuel, n'ayant d'autre lieu et d'autre mobile que lui, dans la disparité des produits échangés qu'il rend équivalents les uns aux autres. Elle est à ce titre l'antithèse vivante de cette richesse surgie des profondeurs de la terre, et qui, pour être première à toutes les autres, leur est indifféremment étrangère et fondamentale, exemplaire et irréductible. Alors que la monnaie n'est générale que pour reproduire la transformation de chaque produit du travail en marchandise échangeable, la richesse tirée de la terre n'est universelle que pour mieux affirmer la particularité de sa fonction, richesse impérissable parce qu'unique en son genre, unique parce qu'immédiatement surgie de la nature, et par là image même de sa pérennité. Entre la richesse agricole, miroir de la nature des choses, et l'argent qui cristallise la multiplicité des actes individuels en un acte social identique, il n'y a dès lors aucune interférence possible : l'argent méconnaît la terre comme richesse spécifique, et lui-même est un équivalent de ce que cette terre a de partiel et d'échangeable; la terre, elle, reste première et irréductible, fondant la réalité de la richesse là où la monnaie ne fait que l'entretenir.

Et c'est justement à la faveur de cette dualité de fonctions que peut se résoudre, dans le système de Turgot, la contradiction relevée plus haut dans les termes, au niveau de la double primordialité, de fait et de droit, de la richesse agricole. Car si la généralité des effectuations prend la relève de l'universalité des principes, si à se réaliser en effets disparates la norme première se fait autre et prend une forme différente, alors la forme argent ne vient que reconduire dans le circuit effectif des marchandises la prééminence de l'enrichissement individuel telle qu'elle est fondée dans le profit agricole originaire. La présence répétée de l'argent apparaît au sein des opérations d'échange comme l'instance complémentaire et représentative du principe de tout enrichissement; elle reproduit, là où il ne peut lui-même se produire, l'acte primitif où ce principe est une fois pour toutes signifié, à savoir le geste du laboureur.

Le trésor extrait de la terre, abstrait par avance de la circulation et antérieur aux rapports sociaux de production, constitue une source et un fondement de toutes les richesses, au sens où il est une *avance* sans cesse renouvelée à toute forme de production ultérieure. Et si cette avance est ainsi toujours renouvelée, donc aussi impérissable que la nature elle-même, c'est parce qu'elle est également toujours dépassée par le travail productif auquel elle se prête originairement comme avance : si elle renaît continuellement, comme le soutient Turgot, c'est de ses cendres. Ainsi les bestiaux, forme privilégiée de la culture :

> « ils périssent, mais ils se reproduisent, et la richesse en est en quelque sorte impérissable : ce fonds même s'augmente par la seule voie de la génération, et donne un produit annuel, soit en laitages, soit en laines, en cuirs et autres matières, qui, avec les bois pris dans les forêts, ont été le premier fonds des ouvrages d'industrie [1] ».

L'avance est naturelle, fondamentale, mais en même temps, nécessairement extérieure au circuit social de la

---

1. Turgot : *Réflexions...*, § LIII.

production. Car en tant qu'avance, elle est relayée par un autre critère de la richesse, produit achevé qui résume les différents actes effectués à partir de l'avance originaire. Et l'on doit remarquer que, de même qu'il lui faut se consumer toujours pour renaître, la richesse agricole doit, pour être un fonds inépuisable de toutes les richesses, donner lieu à une richesse comme elle exemplaire, et qui vienne la supplanter au moment où l'avance est réalisée dans la production sociale. En face de la richesse canon, avance inépuisable, tirée de la terre par un travail non socialisé, se constitue le circuit complémentaire des échanges, réglé selon le critère d'un nouveau type de richesse, celle née des marchandises en tant que telles, et leur canon à toutes dans ce circuit. Et si l'on retrouve à l'origine et au fondement de tous les échanges ainsi réglés, la richesse primitive de la terre, cette universalité de sa fonction n'est pas remise en question par l'antériorité restrictive à laquelle ladite richesse est confinée eu égard au circuit social des échanges : cette antériorité seule permet qu'elle soit une avance pour ce circuit, et partant, qu'elle soit de la sorte le fondement universel de toute la richesse; mais la même antériorité de l'avance exige le remplacement de celle-ci par un critère ultérieur de la richesse réalisée dans les échanges sociaux. La richesse naturelle ne fait ici que précéder dans sa fonction de référent la richesse sociale : la terre appelle la monnaie, la distribution des richesses doit être corroborée par la formation de nouvelles richesses sur la base qu'elle a avancée.

La monnaie comme équivalent général des richesses échangées répond donc exactement à la terre comme source universelle de toute richesse. Elle prend le relais de ses avances, et en même temps, va contre elle, lui arrachant bientôt le pouvoir d'exprimer la richesse : elle seule, monnaie, sera apte à rendre raison de la double nature de la marchandise que présupposait, sans

la réaliser, la richesse agricole. Cette dernière faisait
en effet des denrées de première nécessité une richesse
d'une extension supérieure à celle de la simple satisfaction des besoins : mieux valait posséder un cochon que
disposer des moyens de s'en nourrir, eût-ce été à en
faire des festins; d'où un autre intérêt à pareille possession que celui, immédiat, de se rassasier. Et dans le
circuit des échanges, le travail matérialisé devenu marchandise vaut de même tant par son utilité de denrée
consommable, que par sa capacité de représenter un
autre produit, abstraction faite alors de son contenu.
C'est la monnaie qui, dans le circuit social des échanges, englobe ces deux dimensions de la marchandise,
et les réunit sous l'aspect d'une même richesse, image
inversée de la source commune et naturelle où chaque
richesse puise pour commencer sa matière et sa valeur,
se distribue et se forme. Entre ces deux référents de la
richesse, la possession primitive et le crédit monétaire,
se profile toute l'accumulation que permirent les avances de la terre, et qui

> « fit qu'on put évaluer les terres elles-mêmes, et
> comparer leur valeur à celle des richesses mobi-
> liaires [1] ».

C'est dire que la terre, confrontée à des valeurs
concurrentes et à des contenus différents, est envisagée
en vertu d'un critère qu'elle n'est plus seule à posséder
et à fonder, comme naguère celui de l'utilité : c'est en
effet le critère de la valeur d'échange. Les marchandises
au rang desquelles la terre est alors ravalée, compa-
raissent devant l'évaluation que rend possible la perspective de les transformer en argent. La terre a été
transformée en marchandise, et l'on procède dès lors
à une

---

1. Turgot : *Réflexions...*, § LV.

« évaluation des terres par la proportion du revenu avec la somme des richesses mobiliaires, ou la valeur contre laquelle elles sont échangées [1] ».

Le double aspect de la richesse agricole, denrée précieuse à tous et superflu immédiatement puisé dans la nature, se résout ici avec sa réalisation comme valeur d'usage et comme valeur d'échange dans le circuit social des marchandises.

On peut dire que le processus envisagé ici par Turgot est celui au cours duquel la marchandise, en se faisant reconnaître comme telle, se dédouble en marchandise et en argent, et réalise la fonction profonde de la richesse, riche à la fois de sa valeur d'usage et de sa valeur d'échange : la socialisation de cette fonction économique, à travers « le besoin même du commerce », comme le dit Marx [2], « force à donner un corps à cette antithèse, tend à faire naître une forme valeur palpable ». Cette valeur mesure tout, représente tout, égalise tout dans l'uniformité d'un même circuit d'échanges sociaux : Turgot comprend parfaitement cette relève de la terre effectuée par l'argent.

« Puisqu'un fonds de terre d'un certain revenu n'est que l'équivalent d'une somme de valeur égale à ce revenu répété un certain nombre de fois, il s'ensuit qu'une somme quelconque de valeurs est l'équivalent d'un fonds de terre produisant un revenu égal à une portion déterminée de cette somme : il est absolument indifférent que cette somme de valeurs, ou ce capital, consiste en une masse de métal ou en toute autre chose, puisque l'argent représente toute espèce de valeur,

---

1. Turgot : *Op. cit.,* § LVII.
2. Karl Marx : *Le Capital,* livre I, tome I, p. 97.

comme toute espèce de valeur représente l'argent [1]. »

A l'argent, donc, de représenter toutes les capacités sociales de la richesse. A l'image du modèle originaire qu'a élaboré la terre, donneuse d'avances, l'argent s'inscrit au centre d'un système d'échanges qu'il règle et délimite selon la marge d'avances qu'il est lui-même capable de consentir au circuit tout entier. L'argent reproduit en effet ici la fonction exemplairement remplie par la terre, il fournit des avances, ou plutôt, il nourrit les avances que doivent faire, au sein des rapports qui les obligent, les échangistes. Car depuis que la terre a accoutumé, selon Turgot, les divers membres de la société à recevoir ou à donner des avances proportionnées à la valeur d'usage reconnue des marchandises, toute la division de la société et du travail s'est opérée selon le principe de ces avances, chacun comptant sur l'apport de l'autre en matière soit de capitaux soit de travail, pour exercer sa fonction économique. Et si dès lors au modèle primitif de la richesse-avance agricole correspond dans le circuit social des échanges le rôle d'équivalent général de l'argent, capable d'anticiper au besoin sur la réalisation de la valeur de la marchandise, et de lui être un investissement, — de même, correspondra à la figure du laboureur-source unique de toute richesse, celle du manipulateur suprême de cette suprême image de la richesse sociale, à savoir, le marchand. Peu importe la diversité de leurs attributions, il reste, dit Turgot, que

> « tous (les marchands) ont cela de commun, qu'ils achètent pour revendre, et que leur trafic roule sur des avances qui doivent rentrer avec pro-

---

1. TURGOT : *Réflexions...*, § LVIII.

fit pour être de nouveau versées dans l'entreprise [1] ».

Ce trafic, ces rentrées qui appellent des sorties, ces avances qui annoncent des retours, ce sont bien là les caractères fondamentaux et les manifestations les plus achevées d'une même réalité échangiste, creuset social où la richesse monolithique héritée de la nature se fond et se fait meuble, se résout en un flux qui baigne enfin tout de son mouvement.

> « C'est cette avance et cette rentrée continuelle des capitaux qui constituent ce *qu'on doit appeler la circulation de l'argent,* cette circulation utile et féconde qui anime tous les travaux de la société, qui entretient le mouvement et la vie dans le corps politique, et qu'on a grande raison de comparer à la circulation du sang dans le corps animal [2]. »

Le rôle de l'argent est ici essentiel au fonctionnement du tout organique, il le détermine et le réalise; de cette manière, sans l'argent, le système entier des échanges sociaux s'arrête de tourner rond. Le moindre écart au rythme de cette circulation, le moindre déséquilibre entre le temps d'aspiration des capitaux et le temps de refoulement des profits, convertis les uns en les autres par la totale fluidité de l'argent, enfin, « un dérangement quelconque dans l'ordre des dépenses [3] » et du retrait des avances, entraînerait la ruine totale du système, c'est-à-dire, puisque le fondement de ce système est la richesse, la misère : « la pauvreté prendra la place de la richesse », conclut péremptoirement Turgot à envisager une telle éventualité. Le système entier basculerait ainsi dans le non-être, dans la pure

---

1. TURGOT : *Réflexions...,* § LXVII.
3. *Ibidem,* § LXVIII. C'est Turgot qui souligne.
3. *Ibidem,* § LXVIII.

négation de ce qu'il est. Et l'on voit ici que la circulation garantit le maintien de la richesse comme réalité
positive, et qu'elle en est pour ainsi dire la vérité, aussi
prompte à faire basculer la richesse dans la pauvreté
que l'est la vérité à basculer dans le faux, dès qu'elle
souffre la moindre altération, comme le pense Descartes,
à son ordre naturel.

La pauvreté, certes, se répandrait sur les régions de
la société irriguées par une richesse monétaire hypothétiquement absente. Car seule alors subsisterait la richesse
agricole, et par éliminations successives, on reviendrait
au point de départ, l'état primitif où la richesse universelle trouvait dans la nature sa source, et où « la seule
culture des terres pouvait se soutenir un peu ». Effectué ainsi à rebours, ou logiquement suivi dans son
déroulement propre, l'enchaînement du processus de
formation-distribution des richesses défini par Turgot
s'opère selon les lois d'une rigoureuse continuité : chaque élément répond à un autre, ce qui est fondé ne
saurait subsister sans ce qui le fonde, et ce qui fonde
tout (la richesse agraire) est bien ce qui demeure quand
ont a hypothétiquement gommé les étapes ultérieures
du déroulement historique. Le système se clôt donc
autour d'un point central, la formation de la richesse
primitive dans le partage des terres, et d'un ordre unitaire, l'entretien de cette richesse dans la circulation de
la monnaie. Chaque élément, chaque organe du tout
systématisé par Turgot reproduit dès lors de façon
plus ou moins complexe l'unité de fonctionnement des
deux coordonnées principales que sont formation et
distribution des richesses : *la distribution d'un bien est
formation de richesse.* Et du premier au dernier mot de
l'ouvrage, de l'impossible neutralité de la distribution
des terres (§ I) à la nécessaire redistribution perpétuelle

---

1. Turgot : *Réflexions...*, § LXIX.

de l'argent dans la circulation (§ C), Turgot fait valoir cette conjonction fondamentale, cette nécessité de la distribution à la base de tout de formation des richesses. L'unité se fait à partir du principe même de la distribution, et la formation des richesses ne saurait être envisagée ni isolément, ni comme cellule mère du processus tout entier. La solidarité profonde qui lie dans un même fonctionnement économique formation et distribution des richesses, et organise autour de lui tout le corps social, n'est pas une confusion des deux éléments; il n'y a entre eux d'unité que parce que la distribution appelle la formation des richesses, la détermine. Les richesses ne se forment comme telles que dans une distribution dont elles sont l'objet : la valeur d'une marchandise comme objet d'échange n'est réalisée que dans la constatation de sa valeur d'usage comme travail matérialisé. L'antériorité de cette reconnaissance et de la distribution des richesses qui en est l'objet, est logique et chronologique, les biens doivent être partagés pour qu'en soit signifiée la richesse : la distribution est toujours *en avance* sur la formation des richesses.

Il nous reste à mesurer l'intérêt de cette découverte. Turgot pose ici les jalons d'une économie moderne qui saura impliquer de plus en plus étroitement la formation de la richesse dans la dynamique des rapports de production : si Marx, juste un siècle plus tard, commence *Le Capital* par les mots « La richesse des sociétés [1] », c'est que, bien loin de poser cette richesse comme un donné antérieur à tout rapport de production, il est en mesure d'en analyser les formes élémentaires, et de définir les conditions auxquelles la richesse a pu se former; cette formation n'est envisagée qu'en fonction des modes de production y ayant contribué et, partant, par référence à la distribution des forces productives et des

---

1. Karl MARX, *op. cit.*, livre I, chap. Iᵉʳ, p. 51.

moyens de production qui caractérise chacun de ces modes; ce qui fait que le premier chapitre de Marx a bien plus de raisons de s'intituler « La marchandise » que « La richesse ». Et nous ajouterons pour terminer que l'effort de Turgot était assez révolutionnaire pour être refoulé par la réaction : elle le disgracia, trop soucieuse d'accumuler de la richesse par tous les moyens, de combler ses exorbitants déficits, et de consommer toujours plus; combien il était alors avantageux pour cette réaction de continuer à prétendre que la richesse existait antérieurement à toute entreprise humaine, et qu'elle revenait par la suite aux maîtres du pays ! combien dangereux eût été de croire que la richesse dépendait entièrement de ceux qui travaillaient à aménager sa production, et n'avait de réalité que dans les modalités de cette mise en œuvre ! c'eût été admettre qu'il fallait réorganiser et redistribuer les fonctions économiques selon les critères d'une efficacité maximale, pour former le plus de richesse possible, et qu'il fallait donc aller en cela contre l'organisation, ou plutôt le manque d'organisation caractérisant à l'époque l'Ancien Régime, failli et rongé de contradictions 1.

§ 4. Le bénéfice idéologique du système de Turgot : former des richesses nouvelles, réformer la distribution des biens.

> « Les économistes, sans se séparer des théories, sont cependant descendus plus près des faits. (...) Toutes les institutions que la Révolution devait abolir sans retour ont été l'objet

---

1. Il n'est du reste pas étonnant de constater que dans la conjoncture contemporaine d'une France menacée de changer de régime, les gouvernants en place arguent obstinément de la nécessité de conserver la richesse nationale telle qu'elle est, « poule aux œufs d'or » de la croissance (citation) au-dessus des contingences socio-politiques.

particulier de leurs attaques; aucune n'a trouvé grâce à leurs yeux. Toutes celles, au contraire, qui peuvent passer pour son œuvre propre ont été annoncées par eux à l'avance et préconisées avec ardeur; on en citerait à peine une seule dont le germe n'ait été déposé dans quelques-uns de leurs écrits; on trouve en eux tout ce qu'il y a de plus substantiel en elle. »

Tocqueville : *L'Ancien Régime et la Révolution*, livre III, chap. 3, Gallimard, p. 255.

On peut dégager du système mis en place par Turgot deux grandes lignes de force, dont il nous reste à montrer la fonction exemplaire dans le mouvement général de l'antiféodalisme, et les déterminations spécifiques que ce mouvement leur confère.

Ces deux thèmes majeurs sont d'une part la nécessité d'une circulation des valeurs dans le corps socio-économique, et d'autre part la neutralité de ces valeurs, indispensable à leur circulation. Les deux exigences sont complémentaires, et conjuguent leurs effets dans le fonctionnement des richesses comme biens distribués pour un échange. Nous étudierons donc cette conjonction.

En soulignant à plusieurs reprises, dans ses *Réflexions* comme dans ses *Lettres à l'abbé Terray, contrôleur général, sur le commerce des grains* [1] qui datent de 1770, la nécessité d'une circulation des valeurs dans le corps socio-économique (la métaphore organique est à chaque fois employée), Turgot introduit l'idée d'un équilibre à entretenir, d'une proportion spécifique au système des échanges, et qu'il convient de favoriser par un fonctionnement optimal de ce système. L'expression de cet équilibre naturel des échanges est le prix des denrées, nœud de toutes les séries convergentes se rapportant à l'échange, révélateur, aux yeux de Tur-

---

1. Edition Schelle, tome III, pp. 265 à 357.

got aussi essentiel que manifeste, de la nature même des rapports sociaux de production. C'est dire que jusque dans ses effets les plus tangibles (le mouvement des prix) le corps économique exprime l'équilibre naturel qui l'anime, et que la distribution des valeurs (biens et richesses) aux membres de ce corps doit, à l'instar de la distribution du sang aux différents organes, respecter et favoriser cet équilibre. Pour qu'ils deviennent richesses, les biens doivent être distribués adéquatement.

Le modèle agricole est ici prééminent : la semence doit, pour fructifier, rencontrer un terrain propice, et de sa distribution à tel ou tel lieu du sol économique dépend qu'elle soit bon grain ou ivraie, richesse ou non-être. Et c'est parce que les premiers échangistes ont été aussi des semeurs, que la richesse, d'abord fruit de la terre heureusement fécondée, est ce à quoi doit réussir le système économique tout entier : elle est l'être économique par excellence.

Toutes conditions doivent donc être remplies pour que la circulation économique soit féconde, pour qu'elle s'effectue selon la proportion naturelle qui, depuis la production de la première richesse, la vente de la première moisson, s'est imposée au système entier des échanges. On voit bien là comment la mise en œuvre d'échanges nouveaux et de richesses nouvelles n'est que la perpétuation et la reproduction de l'échange originaire, source unique de toute richesse, proportion unique et définitive tirée des entrailles mêmes de la terre pour qualifier tous les rapports sociaux de production à venir. On voit là aussi comment la prévalence d'un tel canon — cette proportion idéale, naturelle et irréversible des échanges — peut être invoquée au nom d'une légitimité universelle, celle dont se réclament à la fin de l'Ancien Régime les détracteurs d'un système fondé sur l'exception et le privilège.

Et c'est précisément contre l'arbitraire du dirigisme économique que Turgot entend faire valoir sa détermination d'une proportion naturelle nécessaire à l'équilibre économique. L'intervention gouvernementale, sur les prix notamment, rompt la spontanéité que cette proportion met naturellement à équilibrer les échanges.

> « La valeur vénale des denrées, le revenu, le prix des salaires, la population, sont des choses liées entre elles par une dépendance réciproque et qui se mettent d'elles-mêmes en équilibre, suivant une proportion naturelle; et cette proportion se maintient toujours, lorsque le commerce et la concurrence sont entièrement libres [1]. »

Outre les résonances libre-échangistes que ce thème, repris par les juristes révolutionnaires, donnera aux décrets de la Constituante, nous pouvons voir là de quoi faire écho aux préoccupations d'un capital marchand soucieux de secouer le joug du centralisme monarchique, et surtout, de laisser donner à sa primauté économique tout l'éclat dont elle peut faire preuve. En effet, le système décrit par Turgot éclaire d'un jour tout à fait neuf et convaincant les impasses du capital marchand au cours des deux dernières décennies de l'Ancien Régime : il les anticipe comme les conséquences nécessaires d'un état des rapports de production qu'il analyse et connaît avec précision.

Ce capital marchand ne peut plus donner la pleine mesure de sa vocation économique, talonné qu'il est par la rente féodale d'une part, par l'impôt et le dirigisme (arrêt du 23 décembre 1770 contre le libre commerce) d'autre part. Et cette situation, ressentie dès les années où Turgot écrit, ne fera que se durcir au fil des derniers jours de l'Ancien Régime. Le capital marchand ne peut ainsi faire pleinement fonction de richesse,

---

1. TURGOT : *Septième lettre à l'abbé Terray,* 2 décembre 1770.

puisqu'en dénaturant sa distribution à toutes les régions de l'économie, le régime féodaliste l'en détourne. En posant à la formation de la richesse comme telle, les conditions d'une distribution adéquate, Turgot introduit l'idée que le capital marchand se voit interdire de fonctionner comme une richesse véritable, et qu'ainsi détourné de sa fonction, il perd sa propre substance, et ses détenteurs la leur aussi, qui exposent pour le défendre « leur honneur, leur fortune et leur vie 1 ».

Et cette menace qui pèse sur le capital marchand est, aussi bien par Turgot que par la conscience générale de ses détenteurs vexés, très étroitement liée aux conditions d'une époque et d'un rapport de force particuliers, celles de l'Ancien Régime finissant :

> « Quel temps, Monsieur, dit Turgot à l'abbé Terray, pour effaroucher les négociants en grains... pour mettre leur fortune dans la main de tout officier de police ignorant ou malintentionné... Quoi ! tout cela est pressé !... S'il y a jamais eu un temps où la liberté la plus entière, la plus absolue, la plus débarrassée de toute espèce d'obstacles ait été nécessaire, j'ose dire que c'est celui-ci... 2 »

La profusion des indications temporelles montre assez combien est perçue l'urgence de la situation : la fermeté et la fécondité de la problématique ainsi posée, et que Turgot installe en ses termes décisifs, est bien à la mesure de l'assurance implacable de l'antiféodalisme, alors seul capable de produire de telles analyses.

Les termes essentiels de cette problématique que nous livre Turgot peuvent se réduire, dans la mesure où elle revendique une politique déterminée, au slogan

---

1. Turgot : *Première lettre à l'abbé Terray,* 30 octobre 1770.
2. *Ibidem.*

hérité de Vincent de Gournay [1] « laisser faire, laisser passer ». Nous tenterons de voir comment chaque rubrique de ce double programme correspond, pour la remplir, à chacune des deux grandes exigences que nous avons retenues comme essentielles à l'enseignement de Turgot.

a) « *Laisser faire* ».

La première d'entre elles signifie tout d'abord la nécessité d'un pouvoir libératoire illimité des valeurs, contenant à elles seules et tirant de leur seule quantité de quoi faire de la richesse : la valeur neutre par excellence, l'argent, ne se forme-t-elle pas de fait spontanément, donnant corps à l'échange ? Il s'agit bien dès lors de laisser l'argent *faire* l'échange, en réaliser les postulations, en cristalliser les déterminations multiples : il doit, pour se faire, constituer une valeur neutre et générale de pur véhicule, entériner, et non orienter l'échange, lui être une avance, et non le devancer en le contraignant. Cet argent est éminemment convertible, il n'a d'existence que dynamique, et ne s'installe jamais dans une quelconque épaisseur, dans une quelconque durée économique : s'il est de fait « la matière première des capitaux [2] », il ne le peut être que « dans leur formation », et la matière est ici bien plus le moyen que le contenu, bien plus l'objet et le principe, que le produit ou l'effet. L'argent n'est rien d'existant, de réalisé, de durable; il « n'entre pour presque rien dans la somme totale des capitaux existants [3] » il ne peut être arrêté dans son cours, évalué, pris dans une mesure autre que lui-même. A vrai dire, il « n'entre » que pour sortir, et rentrer de nouveau : entrer dans les capitaux

---

1. Son maître dans la doctrine économique. Turgot a composé son *Eloge* pour le *Mercure* d'août 1759.
2. TURGOT : *Réflexions...*, § C.
3. TURGOT : *Réflexions...*, *ibidem*.

n'est pour l'argent qu'un but, l'objet même de sa fonction, et donc, c'est toujours pour lui rentrer, dans la mesure où ce « rentrer » suppose un préalable « sortir » au cours duquel l'argent perd une nature pour en retrouver une autre. Ainsi, « l'argent en nature ne forme qu'une partie presque insensible de la somme totale des capitaux », alors que

> « tous les entrepreneurs n'en font d'autre usage que de les convertir *sur-le-champ* dans les différentes natures d'effets sur lesquels roule leur entreprise; ainsi cet argent rentre dans la circulation, et la plus grande partie des capitaux n'existent qu'en effets de différentes natures... 1 »

L'argent n'a pas de nature singulière : tel quel, « en nature », il n'existe pas, n'ayant pour cela ni assez de temps ni assez d'être. Il se disperse en les effets qui portent sa trace mais lui prêtent tour à tour chacune de leurs multiples natures : l'argent n'existe que dans la modification et dans la pluralité, il est de sa nature même d'être dénaturé, de se défaire dans les effets qu'il a précipités, et dont il s'est fait un instant le catalyseur.

Voilà le contenu du « laisser faire », tel que le remplit tacitement la théorie de Turgot : la richesse doit pouvoir se former là où elle a les meilleurs effets, tout doit pouvoir faire richesse, au mieux des circonstances. D'où le scandale des entraves que met la propriété féodale, dans le mouvement de longue durée évoqué plus haut, à la prospérité et à la fécondité du capital marchand : elle ne laisse pas faire le mouvement et les déterminations économiques qui orientent ce dernier vers la richesse. L'ensemble de la production féodalement taxée, arbitrairement détourné de la valeur

---

1. Turgot : *Op. cité.*

d'échange, contredit aux exigences de « laisser faire »; et bien plus, de même que cet ensemble subit les inconvénients d'un pareil manque, il les impose au reste de la production, rompant ainsi le processus de formation des richesses. Et tandis que d'après Turgot les négociants en grains peuvent très bien pâtir d'une crise frumentaire malgré leur détachement à l'égard du strict problème des subsistances les fabricants peuvent de la même manière souffrir d'une congestion endémique de leurs capitaux, qui empirera avec les progrès effrénés d'un dirigisme féodaliste de débâcle. Le corps économique tout entier trouve son intérêt dans la liberté de manœuvre des producteurs, et tout entier il trouve sa perte dans la contrainte aberrante d'un état féodaliste qui ne veut pas s'avouer impuissant.

Il est alors clair que les plus âcres flèches du « laisser faire » seront dirigées, dans la bataille idéologique, contre les bastions du féodalisme les plus propres à rompre et à contraindre le circuit économique, et à détourner de sa fin créatrice de richesse le capital marchand : les contrôles de la production d'une part, le système corporatif d'autre part, constituent à ce titre des cibles principales.

Nous verrons, en étudiant plus loin ces attaques, comment, dès leur mise en œuvre par Turgot, elles opèrent un vivant transfert entre le thème de la richesse et celui de la liberté, et comment, pour toutes les générations de la bourgeoisie révolutionnaire, la liberté aura été le mode le plus éminent de la formation des richesses.

Ici, donc, l'argent, dans son pouvoir libératoire, dans sa faculté de se faire et de se défaire autour des marchandises qu'il fait se rencontrer pour s'opposer ensuite — l'échange par excellence —, constitue le principe même de cette étroite conjonction entre richesse et liberté. Condition de l'échange, équivalent universel selon lequel peuvent être échangées deux marchandises, ou avancées des marchandises non encore réalisées, l'argent libère de la richesse aussitôt qu'il est converti en un effet nouveau. Sa neutralité, sa transparence — « l'argent est un cristal » dit Marx 1 — font qu'à la nécessité de l'échange marchand dont il est la condition, et à l'importance dont il est par là investi, répond une parfaite discrétion, à tous les sens du terme : l'argent est d'une intégrale disponibilité, on peut user de lui de façon quasi illimitée, et à la fois, lui-même n'a d'autre présence que cette disponibilité, et donc cette hypothétique mise à contribution; l'argent est discrètement en marge des richesses accumulées, en même temps qu'il laisse à leur accumulation une marge de manœuvre à discrétion.

Est là pleinement réinvestie, et signifiée, la fonction que déjà Quesnay assignait, en dépit de positions rétrogrades sur le commerce, à l'argent : les nations saines, disait-il,

> « ne doivent tendre qu'à la plus grande reproduction possible pour accroître et perpétuer les richesses propres à la jouissance des hommes; l'argent n'est pour elles qu'une petite richesse intermédiaire qui disparaîtrait en un moment sans la reproduction 2 ».

Fonction exclusivement dynamique de l'argent, richesse insaisissable qui se résout dans chaque instant de la circulation générale, fonction d'agent reproducteur orientant l'économie tout entière vers la richesse, telle est la leçon primordiale de ces premières doctrines libérales : le capital marchand, fût-il encore ignoré d'un Quesnay, saura tirer pour lui tout le bénéfice d'une pareille leçon. Et le problème apparaît dès lors pour

1. MARX : *Op. cit.*, livre I, chap. 2, p. 97.
2. F. QUESNAY : *Analyse du Tableau économique*, 1758, Œuvres complètes, Oncken, Paris, 1888, p. 328.

ce dernier de contraindre le système économique tout entier à le laisser faire toute la richesse dont il est capable, et dont son crédit financier lui garantit l'immanquable succès.

b) « *Laisser passer* ».

S'il faut laisser se former les richesses, et laisser faire le courant économique qui veut placer à leur tête le capital marchand, il faut du même coup favoriser une distribution des biens susceptible de satisfaire aux exigences de ce courant, et laisser aller le capital marchand vers sa fonction de richesse.

L'argent, avancé en valeurs neutres, doit circuler sans entraves et irriguer sans interruption les organes économiques de la reproduction des richesses, respectant leurs fonctions spécifiques et leur hiérarchie, passant à travers les échanges commerciaux de tous secteurs comme un stimulateur uniforme.

Aucune rétention ne lui sera imposée, thésaurisation ou constriction seront également fatales à la richesse que l'argent, par sa convertibilité intégrale, doit à chaque instant libérer.

Laisser passer tout ce qui peut faire de la richesse, telle est donc l'exigence fondamentale du « laisser faire » : le remplissement de cette exigence relève d'une adéquate distribution de ce qui est ainsi appelé à fructifier.

Et c'est ici que se montre nécessaire une fluidité parfaite des valeurs censées nourrir la richesse. Ces valeurs, neutralisées par l'équivalent général qu'est l'argent, et à ce titre malléables aux influences économiques les plus diverses, doivent passer dans le circuit comme elles s'y font une place : les richesses, qui se perdraient à rester statiques, ne sauraient autrement entrer dans la circulation, et jouer leur rôle de source vivifiante de tout le système; or elles sont en cela le but et le prin-

cipe suprême des états modernes — la richesse des
nations.

Les richesses doivent, pour passer dans la circulation, se faire anonymes, libres de toute entrave et de
tout contrôle. L'aspect négatif de cette fluidité nécessaire, et au plus haut point possédée par le capital
marchand, ne manque pas d'être à ce titre stigmatisé
par Quesnay, lequel ne se trompe pourtant pas sur la
nature de la fortune monétaire accumulée par la bourgeoisie au cours du siècle : « les fortunes pécuniaires
sont des richesses clandestines qui ne connaissent ni
roi ni patrie », souligne-t-il dès 1758, et non sans une
prophétique acrimonie à l'égard des capitaux fuyards,
dans l'une de ses maximes 1.

Ces « fortunes pécuniaires » sont néanmoins la base,
l'avance, même, de tout le capital marchand en circulation. Et de fait, le capital marchand, accumulé depuis
tant d'années par l'effort de tant d'individus, ne connaît
de loi que la sienne propre, et de référence que sa propre entreprise. Seule la légitimité universelle du bien
honnêtement acquis est à même d'en éprouver la validité; le capital marchand n'a à ce titre de comptes à
rendre à aucune instance, et encore moins à des instances qui, à l'instar de la monarchie centralisatrice
d'Ancien Régime, ne cessent de le brimer. Ce que
demande au contraire ce capital marchand, et cela de
par sa nature même, c'est la levée de ces contrôles et
de ces brimades, de ce carcan qui partout entrave sa
progression, des marchés jusqu'au bureau des inten-
dants. Et ici les aspirations se portent tout particulièrement sur la nécessité pour l'argent, modèle de toute
richesse circulante, de ne point rester pris dans cette
série de garrots qui barrent la route aux richesses et les

---

1. F. QUESNAY : *Maximes générales du gouvernement économique d'un royaume agricole,* maxime XXIX, édition Oncken,
p. 337.

empêche de se régénérer en circulant : l'argent doit fournir l'exemple d'une perpétuelle redistribution de ces richesses. Et c'est encore l'enseignement de Quesnay que nous devons ici retenir, qui formulait en 1758 [1] la plus claire des condamnations à l'encontre de la thésaurisation, carte maîtresse du jeu féodaliste de blocage de l'économie :

> « Que la totalité des sommes du revenu rentre dans la circulation annuelle et la parcoure dans toute son étendue; qu'il ne se forme point de fortunes pécuniaires, ou du moins qu'il y ait compensation entre celles qui se forment et celles qui reviennent dans la circulation; car autrement ces fortunes pécuniaires arrêteraient la distribution d'une partie du revenu annuel de la nation... »

Et la nécessité de plus en plus urgente de ce déblocage économique, particulièrement souhaité à l'égard de la thésaurisation féodaliste, se fera sentir dans nombre d'écrits à l'approche de la Révolution; nous citerons pour mémoire celui de l'abbé Rulié, que notre prochain paragraphe étudiera plus longuement, et qui affirme en 1780 :

> « La destination de l'argent est de circuler perpétuellement dans la Société, et cette circulation est en raison de l'activité du Commerce; tout ce qui en gêne la liberté et en interrompt le cours, est funeste au bien public [2]. »

Cette citation a le mérite de faire clairement ressortir, à la faveur de la radicalité de la bataille idéologique

---

1. F. QUESNAY, *Op. cit.*, maxime VII, p. 332.
2. ABBÉ RULIÉ et ABBÉ GOUTTES : *Théorie de l'intérêt de l'argent tirée des principes du droit naturel, de la théologie et de la politique contre l'abus de l'imputation d'usure.* Paris 1780, B.N. : D53145. Ch. I, règle XV.

dans l'Ancien Régime expirant, le double lien de la circulation monétaire avec le sort du capital marchand et avec ce « bien public » qui n'est autre que l'enrichissement de ceux qui en sont capables là où ils peuvent et quand il le leur est possible. L'argent sera le véhicule privilégié de cet enrichissement général, dont le terrain par excellence sera le commerce : on ne saurait mieux appeler la venue d'une monnaie entièrement neutre et théoriquement susceptible de convenir à n'importe quel secteur de l'économie, à n'importe quelle forme de propriété, à n'importe quel mode d'enrichissement — l'assignat.

Ainsi, dans cette nécessaire redistribution des richesses, dont l'argent est invoqué comme le garant, c'est un laisser-passer général qui doit s'instaurer, et balayer tout ce qui reste des anciens barrages : de l'ancestral prélèvement des lods et ventes, qui se saisit de la richesse au cœur même du plus petit des échanges, aux monopoles qui restreignent à certains secteurs la liberté du commerce, tout ne demande qu'à être réorganisé et libéré.

Prenant au pied de la lettre la conjonction des effets de la valeur d'usage et de la valeur d'échange, Turgot pousse jusqu'au bout le principe selon lequel l'utilité du travail matérialisé justifie d'en faire une marchandise, de même que la possibilité d'en tirer de la richesse justifie de travailler à le produire : tout comme

> « les marchandises ne peuvent point aller elles-mêmes au marché ni s'échanger elles-mêmes entre elles »,

ainsi que le dira Marx [1],

> « le blé ne vient pas tout seul; pour en avoir, il faut labourer, semer et recueillir; (...) tout cela ne se fait pas sans peine ni sans frais. Ceux dont

---

1. Karl MARX, *op. cit.*, livre I, tome I, chap. 2, p. 95.

le métier est de labourer, de semer et de recueillir, ne prennent cette peine et ne font ces frais que dans la vue d'en retirer un profit. Ce profit ne peut être que ce qu'ils retirent de la vente de leurs denrées [1] ».

Or si

« le gain du laboureur est le mobile de la culture et, par conséquent, la source de la production de blé [2] »,

si c'est par l'effet d'un même besoin de vendre que le laboureur prend la peine de cultiver sa terre et d'amener ses marchandises au marché, une conclusion pratique s'impose : pour favoriser la production, et partant, la consommation, il faut donner au laboureur toute latitude pour vendre. La liberté du marché des campagnes est, comme la circulation permanente de la monnaie, la garantie fondamentale de la libération des capitaux et des richesses disponibles.

Les deux valeurs universelles, terre et argent, sur lesquelles se fonde toute richesse, conjuguent ici leurs fonctions en postulant toutes deux un élargissement maximum des échanges. La terre ne peut devenir richesse que si elle satisfait le plus grand nombre de consommateurs-payeurs; l'argent ne peut devenir richesse que s'il cautionne le plus grand nombre de paiements ainsi motivés. On ne peut laisser les échanges faire de la richesse qu'en laissant passer par eux le plus grand nombre de marchandises. Toute la dynamique de la société marchande se résume donc à cet enchaînement de causes et d'effets allant de la première graine lancée au vent d'un automne fertile, du

---

1. TURGOT : *Projet de lettre au contrôleur général Bertin sur un projet d'édit,* § I, 1761, édition Schelle, tome II, pp. 122 à 128.
2. *Ibidem.*

premier coup de fléau estival, au plus subtil des emma-
gasinements, au mieux organisé des monopoles : un seul
fil conducteur, une seule raison à cette longue chaîne,
la libre circulation des marchandises. Comment ne
serait-elle pas le noyau de toutes les revendications, de
toutes les mobilisations antiféodales ? Comment tous les
principes espérés et institués par la future Révolution
française ne se nourriraient pas de la substance même
de ce libéralisme antiféodaliste et conquérant, puisqu'en lui résident la promesse et la garantie de la transformation, si attendue, si nécessaire, de tout un Ancien
Régime socio-économique ?

Et pour Turgot, c'est dans le commerce des grains
que doit s'accomplir, de façon exemplaire, cette nécessaire transformation : il est le modèle même du dynamisme économique appelant une pareille libération de
la richesse entravée; la terre ne demeure-t-elle pas pour
l'auteur des *Réflexions* le lieu économique d'origine
et de référence ? Toutes les phases de la production
agricole sont aussi les phases de l'échange commercial,
organiquement disposées selon le rythme régulier d'une
circulation libre.

> « La faveur que le laboureur demande, l'objet
> qu'il se propose en cultivant, la récompense qu'il
> attend de son travail ne peuvent être que la vente
> facile et avantageuse de ses récoltes. Or, la vente
> est d'autant plus facile et d'autant plus avanta-
> geuse qu'il y a plus de concurrents pour l'achat.
> Il ne peut donc y avoir trop d'acheteurs, et tout
> ce qui tend à en resserrer le nombre tend à dimi-
> nuer les profits et les espérances du laboureur, et
> diminue par contre coup la production [1]. »

Le cercle est clos : les espérances se referment sur
d'autres espérances, celles du paysan riche de ses

---

1. Turgot, *Projet de lettre...*, § II.

champs sur celles du marchand riche de ses ventes, et qui veut encore produire, pour encore échanger.

La garantie de permanence du système, ce qui assure au producteur qu'il sera bientôt vendeur, c'est la libre circulation des marchandises, dont la neutre fluidité et la convertibilité de l'argent est le modèle même. A tout instant convertible, l'argent libère autant de richesse que la marchandise est capable d'en porter : il convient, pour laisser faire ce processus et lui donner toute son ampleur, de laisser passer par la forme argent n'importe quelle denrée, et donc de laisser réciproquement passer le flux monétaire à travers n'importe quelle marchandise. De même que l'agriculture est le sol proprement dit du domaine socio-économique, de même, la monnaie est la source intarissable qui vient irriguer ce sol. On ne peut penser que la Constituante ne s'est pas rappelé et n'a pas reconduit cette nécessité, lorsqu'au jour du 2 novembre 1789 elle transforme en assignats la terre des décimateurs, lorsqu'au jour du 27 août elle réduit ces assignats, et cette terre, à de la simple monnaie.

Les grands Edits que, le 12 mars 1776, Turgot fait enregistrer, suppriment pour quelques semaines les droits locaux sur les grains, les corvées et les jurandes; ils seront rapportés par De Clugny, qui succède à Turgot juste un mois après leur adoption. Le système féodaliste, le centralisme despotique ne peuvent assimiler les principes qui les nient, et pas plus laisser faire le démantèlement d'une économie fondée sur le privilège, que de laisser passer et s'infiltrer à travers ses failles le courant des richesses nouvelles. L'intérêt de la bourgeoisie et du capital marchand réside pourtant, brimés qu'ils sont par ces privilèges omniprésents, dans un pareil démantèlement :

> « Il était beau, au souffle errant et tiède qui s'échappait des usines, de dissoudre la dure glèbe

féodale où la vie du paysan était captive », dit Jaurès [1].

Les capitaux libérés par un déblocage des contraintes féodalistes, l'économie emplie du souffle régulier et apaisé de la monnaie qui l'anime, n'auraient désormais qu'une mission, celle de libérer à son tour le peuple laborieux écrasé dans la machine féodaliste; la vie redonnée au commerce et aux fabriques allait, une fois la circulation libre de nourrir les richesses dont on l'avait détournée, régénérer et délivrer la production tout entière, et son sol originaire, l'agriculture. Les gestes des millions de laboureurs allaient se transformer, mille marchés jouiraient enfin de ventes libres, d'innombrables propriétaires profiteraient enfin de leur richesse.

Car telle est bien la leçon de Turgot : de nouvelles forces doivent introduire de nouveaux rapports de production, de nouvelles richesses doivent, pour être fécondes, connaître une nouvelle distribution. Sinon, les possibilités qu'elles représentent seront gâchées :

« Personne ne met non plus du vin nouveau dans de vieilles outres; autrement, le vin fera éclater les outres, et le vin est perdu aussi bien que les outres. Mais à vin nouveau, outres neuves ! [2] »

Et à l'époque où Turgot donne à une bourgeoisie peu convaincue cette leçon, il est de fait urgent pour elle de réaliser les chances dont l'a dotée son séculaire enrichissement : les rapports de production existants enserrent le capital marchand dans des limites de plus en plus contraignantes, la structure féodaliste du mode de production, naguère pour lui un garde-fou, prend l'allure d'un gigantesque carcan.

1. JAURÈS : *Histoire socialiste de la Révolution française,* tome Ier, chap. 1, § 3, p. 196.
2. MARC, II, 22.

Ainsi n'est-il point paradoxal d'évoquer avec Jaurès le rôle des capitaux industriels dans le courant anti-féodaliste si bien conduit par un Turgot attaché au modèle agricole pour sa seule exemplarité de fonctionnement. Car si l'agriculture est de fait le lieu le plus crucial des contradictions féodalistes, et donc atteste l'urgence de leur résolution, il n'en reste pas moins que l'aliment essentiel du courant qui précipitera cette résolution, c'est bien le capital marchand dans ses formes les plus élaborées, et notamment la plus capitaliste d'entre toutes, l'industrie naissante.

En mentionnant ici cette industrie, nous ne voulons que symboliser les intérêts les plus hauts, et malgré tout les plus lointains, d'un courant antiféodaliste poussé par Turgot au bout de ses forces naissantes. Et dans la même mesure que Turgot resta unanimement incompris par ceux qu'il servait en prônant la liberté, la fraction industrialisée du capital marchand demeurera une avant-garde quelque peu isolée jusqu'à la Restauration. Et ceux qui lui confièrent leurs capitaux furent aussi ceux qui, remettant en chantier les doctrines économiques prônées un demi-siècle auparavant par le ministre mal-aimé, se firent alors les champions du libre-échangisme.

En voulant substituer aux « franchises » et aux « libertés » dont les corporations médiévales qualifiaient leurs désuets et redoutables privilèges, la liberté du travail et de la production, Turgot préparait l'avènement des rapports industriels et des structures salariales capitalistes [1]. En voulant débarrasser la circulation monétaire et commerciale de ses archaïques entraves, il rendait opératoires les nouveaux rapports de produc-

---

1. L'avènement de l'accumulation en général, mais plus particulièrement dans la petite unité de production industrielle et le cadre concurrentiel de l'entreprise indépendante : c'est là que se joue le passage révolutionnaire au capitalisme.

tion qui, à la faveur de l'enrichissement bourgeois, s'élaboraient au rythme des premières broches mécaniques. L'absence de barrières douanières était ici de rigueur : en 1777, Constantin Périer traversa la Manche pour aller visiter l'usine de Broseley et y étudier le fonctionnement de la machine à vapeur; il passait en 1779 une commande à Watt et à Boulton. En 1788, il construisait la « pompe à feu de Chaillot » qui, outre à élever l'eau de la Seine, contribua à alimenter la plus grande fonderie de canons française; le triomphe des armées de la Révolution à Valmy fit retentir dans toute la jeune république l'écho du fracas victorieux dont la « Carmagnole » nous livre la mémoire : « Vive le son du canon ! » Et les canons de Valmy, la machine à vapeur de Périer, l'accord commercial avec Watt sont bien ici autant de maillons d'une même chaîne qui, si nous la remontons, nous ramène à l'exigence antiféodaliste du capital marchand, si éminemment formulée et pratiquée par Turgot.

§ 5. La vocation idéologique du « libéralisme » antiféodal : distribution et bien public.

> « J'ai donc prouvé qu'il n'y a aucune opposition entre l'intérêt des cultivateurs et des propriétaires et l'intérêt des consommateurs; que la liberté du commerce est avantageuse pour tous. »
>
> TURGOT : *Septième lettre à l'abbé Terray,* 2 décembre 1770.

> « Liberté sainte, nous t'invoquons; ton feu sacré *circule* dans nos veines, il brûle dans nos cœurs. Loin de nous tout motif d'intérêt local, toute considération particulière; nous ne respirons que pour le bien général, l'esprit public nous anime... »

Assemblée primaire des citoyens actifs de la
ville de Bourbon-Lancy [1], 15 avril 1790.

Pendant les vingt années qui séparent les deux discours ci-dessus, les progrès de l'antiféodalisme ne cessent d'aménager autour des aspirations libérales du
capital marchand, toute une thématique de l'intérêt
général; elle répond directement aux exigences de
neutralisation et de libéralisation des échanges, que
nous avons vues doctrinairement formulées chez Turgot. Le corollaire de la circulation fluide et de la
distribution proportionnelle de l'activité commerciale
aux divers secteurs de l'économie, c'est en effet le
principe selon lequel chacun de ces secteurs, métier,
classe, marchandise, producteur, est également concerné
par le circuit des échanges. Et si en 1770 Turgot
comprend que producteurs et consommateurs, propriétaires et salariés, acheteurs et vendeurs trouvent le
même intérêt à un commerce libre et prospère, les
hommes de 1790 auront fait beaucoup plus : ils auront
bâti leurs espoirs et mèneront leur action sur la base
de cette communauté d'intérêt, et invoqueront la
Liberté et l'Egalité au moment où, œuvrant pour le
bien public, ils déposséderont les féodaux, puis feront
commerce de leur ancienne richesse. A l'assaut des
outrageants droits féodaux, ils auront appelé la Liberté,
à l'assaut des insupportables privilèges, l'Egalité, et la
Fraternité à l'assaut de l'arbitraire : et ce faisant, ils
se seront donné les moyens de redistribuer les rôles
dans un espace socio-économique remodelé à leur gré
pour que s'y équilibrent de nouveaux rapports de production et qu'y fructifient de nouvelles richesses. Car
il fallait bien qu'on échangeât de nouveaux pouvoirs

---

1. Cité par J. BELIN, in *La Conscience populaire et l'appréciation des faits politiques,* chap. 2, pp. 497/V-13. Edition Hermann.

contre d'anciennes servitudes, qu'on se mît à éprouver les trésors naguère interdits et cachés au fond des vieux châteaux, qu'on rendît à la nation, et pour ce qu'elles valaient, les séculaires possessions des seigneurs.

S'il allègue en premier le droit et la propriété pour chacun d'user librement de sa force de travail [1], c'est que l'antiféodalisme vise à établir sur cette liberté individuelle de manœuvre, et sur cette universalité de l'action personnelle, une redistribution des richesses.

Pareille redistribution ne peut se faire que dans le cadre d'une économie délivrée de toute entrave à la circulation marchande et financière. Et sur le fond de cette liberté générale (la liberté du corps tout entier garantit celle de chaque membre individuel à agir), une distribution organique s'instaure, une répartition proportionnelle des richesses, apte à favoriser l'enrichissement des organes-clés de ce système économique.

C'est une harmonie générale qui est dès lors garantie à l'ensemble : ce qui doit faire de la richesse est conduit naturellement au lieu où il doit fructifier, et ce dans le respect d'un équilibre spontané indispensable à l'effectuation régulière de la distribution des richesses; « et cette proportion se maintient toujours, lorsque le commerce et la concurrence sont entièrement libres [2] ».

Le commerce apparaît donc ici comme le lien suprême entre l'ensemble des aspirations de l'antiféodalisme, et les objectifs généraux qu'il se donne, à mesure que prend corps l'idée d'une révolution. Les chefs de file de cette révolution seront les détenteurs

---

1. « Dieu, en donnant à l'homme des besoins, en lui rendant nécessaire la ressource du travail, a fait du droit de travailler la propriété de tout homme, et cette propriété est la première, la plus sacrée et la plus imprescriptible de toutes. » Turgot : *Edit de suppression des jurandes,* février 1776, tome 5, pp. 238 à 255, édition Schelle.
2. Turgot : *Septième lettre à l'abbé Terray,* 2 décembre 1770.

notoires du capital marchand; et le thème de l'intérêt commun sera développé par eux aussi bien pour des raisons spécifiques à la revendication libérale capitaliste, que pour des raisons stratégiques. Il sera urgent pour la bourgeoisie révolutionnaire de se donner l'appui du peuple, au moins aussi antiféodaliste qu'elle, mais peu convaincu de la bienfaisance universelle des négociants monopoleurs :

> « Je sais bien que les négociants qui achèteront des grains en Poitou pour les porter en Limousin seront traités de monopoleurs par la populace et les juges des petites villes du Poitou [1] », dit Turgot.

Et de fait, la « populace » reste, pour ce qui concerne le chapitre des grains, favorable dans son ensemble à la loi des juges d'Ancien Régime : à la suite de graves troubles frumentaires, Necker ne devra-t-il pas suspendre la liberté de commerce et d'exportation des grains qu'a décrétée Brienne en 1787 ? Et si le peuple a un réel intérêt à la révolution bourgeoise, si elle seule peut le délivrer, cette délivrance passe par la liberté du commerce, arme décisive du mouvement antiféodaliste, même si d'aucuns répugnent à s'en servir.

Même rapport de forces dans l'industrie et la manufacture : les ouvriers ne sont pas spontanément acquis au progrès que représenteront des fabriques modernes et concurrentielles, délivrées de tous les anciens privilèges, et soucieux de leur seule expansion. Ainsi, Arthur Young rapporte [2] qu'au cours d'une entrevue avec M. Décretot le 11 janvier 1790, le grand manufacturier lui confie ses graves problèmes :

---

1. TURGOT : *Première lettre à l'abbé Terray,* 30 octobre 1770.
2. Arthur YOUNG : *Voyages en France,* 3ᵉ voyage, 1789.

« Les filatures qu'il m'avait montrées l'an dernier à Louviers chôment depuis neuf mois, et le peuple a détruit tant de jennies, dans sa croyance que les machines lui étaient nuisibles, que le commerce est dans une situation déplorable. »

Et l'on peut affirmer que les ouvriers paieront du prix de la loi Le Chapelier [1], la loi d'Allarde du 2 mars 1791, qui abolit corporations et privilèges manufacturiers, et permet à quiconque de devenir patron ou d'organiser comme bon lui semble sa fabrication.

Ainsi, si la dissolution de cette « dure glèbe féodale où la vie du paysan était captive » ne peut s'opérer qu' « au souffle errant et tiède qui s'échappait des usines », selon les mots de Jaurès, il n'en reste pas moins que la beauté de la promesse ne fait pas oublier la réalité des inconvénients du système libéral pour le peuple. Certes les masses laborieuses françaises, et principalement les paysans, ont-elles raison de souhaiter avec la bourgeoisie l'éclatement du féodalisme : elles n'y ont rien à perdre. Mais y ont-elles tout à gagner ? Rien n'est moins sûr : ni le partage des communaux entrepris au nom de la libre propriété, ni la licence laissée aux négociants de stocker quand bon leur semble et de faire monter les prix dans les marchés qu'ils vident, ni enfin l'individualisation radicale des rapports sociaux qui empêchera les ouvriers de décider eux-mêmes de leur intérêt commun pour le défendre — aucune de ces mesures du libéralisme bourgeois ne saurait profiter aux classes pauvres.

Il n'empêche que ces classes, bien que nécessaire-

1. Au printemps 1791, les corporations démantelées se regroupent dans des actions revendicatrices, et exercent des pressions sur les patrons et sur l'administration parisienne. La bourgeoisie inquiète vote le 14 juin la loi Le Chapelier, qui interdit toute association professionnelle défendant de « prétendus intérêts communs ».

ment impliquées dans le processus révolutionnaire, bien que constituant même sa réserve de forces, ne peuvent qu'obéir au courant antiféodaliste dont la bourgeoisie capitaliste marchande maîtrise l'orientation. Les droits locaux et les octrois battus en brèche par Turgot, puis supprimés par la Législative en mars et octobre 1790, ne peuvent être jetés à bas que par et pour le libéralisme capitaliste marchand, qu'ils briment. Car il y aura toujours

> « la fureur d'un peuple aveugle et forcené, pour rendre impossible tout achat de grains considérable et, par conséquent, toute spéculation... »,

comme s'en indigne Turgot [1]. Et si l'on ne s'en tenait qu'à cette attitude populaire, les barrières demeureraient, et avec elles, le féodalisme.

Les corporations, maîtrises et jurandes stigmatisées par Turgot,

> « leurs privilèges exclusifs, les barrières qu'elles opposent au travail, à l'émulation, au progrès des arts [2] »,

nuisent essentiellement au commerce :

> « rien n'est plus opposé que le système corporatif et le système capitaliste, dit Jaurès [3], l'un limite la concurrence; l'autre la déchaîne à l'infini. »

Et le peuple laborieux ne regrettera pas d'emblée ces séculaires assemblées : il lui faudra le temps de comprendre ce qu'elles représentaient, pour qu'il s'aper-

---

1. Turgot : *Première lettre à l'abbé Terray,* 30 octobre 1770.
2. Turgot : *Mémoire au Roi sur les six projets d'édits,* janvier 1776, tome 5, pp. 148 à 162, édition Schelle.
3. Jaurès, *ouvrage cité,* tome I, chap. 1, § 3, p. 124.

çoive qu'elles le protégeaient. Au siècle suivant, la vérité que masquait encore le tourbillon révolutionnaire, se fera jour sous des couleurs peu encourageantes :

> « Le prolétaire, seul en face de la puissance centuplée du chef d'industrie, a été rejeté dans l'incertitude, dans la dépendance d'où le travailleur était sorti peu à peu au moyen âge, par l'organisation corporative », écrit le 8 juin 1860 un journaliste du *Courrier de Paris* [1].

Et c'est bien la leçon, tirée au bout d'un siècle, de la lutte du libéralisme contre les corporations.

Et le peuple ne gagnera à leur suppression que de jeter sa force de travail dans le jeu de la concurrence généralisée, qui profite rarement aux démunis, et d'avoir sous les yeux l'exemple prophétique du démantèlement par le pouvoir bourgeois de tout groupe professionnel de pression :

> « ces gens-là s'entendront toujours ensemble pour forcer la police à condescendre au surhaussement des prix, en faisant craindre de cesser de fournir », dit Turgot des corporations [2].

Va pour la hausse des prix : tout le monde est d'accord, le peuple au premier chef, pour trouver honteux de la provoquer. Mais remplaçons ici « prix » par « salaires », et nous trouverons que la haine de Turgot et des bourgeois libéraux est surtout dirigée ici contre le principe d'une quelconque entente professionnelle susceptible de faire pression sur la classe dirigeante. Car en ce qui concerne la hausse des prix,

---

1. ROULLEAUX : Cité par LITTRÉ à l'article « Corporatif » de son *Dictionnaire de la langue française*.
2. TURGOT : *Mémoire au Roi..., ibidem.*

Turgot a montré qu'elle n'était pas forcément funeste quand elle venait des manœuvres des spéculateurs, dont il défendait la liberté.

Ainsi, comme la bourgeoisie libérale supprimera les jurandes et interdira à « ces gens-là » de s'entendre ensemble pour défendre leurs contestables intérêts, de même, elle supprimera les syndicats et interdira à « ces gens-là » de s'entendre pour forcer les patrons à condescendre au surhaussement des salaires, en faisant craindre de cesser de travailler. L'édit de Turgot, la loi d'Allarde avouent déjà la loi Le Chapelier.

L'intérêt du capital marchand au bien public, c'est-à-dire à la circulation libre et proportionnelle des marchandises, du travail et des profits, n'est pas le même que celui des travailleurs démunis : l'aile marchante de la Révolution doit dès lors proclamer que le bien public qui l'avantage avantage aussi toutes les classes antiféodales, et que la disponibilité généralisée des biens à laquelle elle aspire en libérale, correspond aux aptitudes particulières de chaque classe. A ceux qui seraient tentés de croire que, la spéculation ou l'entreprise fussent-elles libres, jamais un journalier semi-mendiant ou un pauvre compagnon ne pourront en devenir des chefs, mais qu'en revanche ils souffriront de cette nouvelle concurrence, la bourgeoisie libérale prônera inlassablement la recherche du bien public dans un intérêt commun. Et elle a raison, car ce bien public qu'elle prétend instaurer, passe par le commun et suprême intérêt de l'antiféodalisme.

Ainsi peut-on entendre le 30 janvier 1789 un Mirabeau souhaiter [1]

_____

1. MIRABEAU : *Sur la représentation illégale de la Nation provençale dans ses Etats actuels, et sur la nécessité de convoquer une Assemblée générale des Trois Ordres*, discours aux Etats de Provence. Aix, 1789, B.N. : Lb39 1034.

> « Qu'un jour de méfiance et de discorde se change en un jour de reconnaissance et d'allégresse !, [car ce jour] le génie bienfaisant de la paix unira par les doux liens de la liberté et de l'égalité tous les Citoyens, tous les intérêts, tous les cœurs. »

Et de fait, bien que les grands négociants, armateurs et industriels provençaux aient fort peu de leurs profits à partager avec leurs ouvriers, tous aspirent ensemble à un même idéal, à un même avenir, celui de leur commun antiféodalisme : la Révolution française. La belle prose de Jaurès nous l'affirme ici :

> « A la veille de la Révolution, et jusqu'à la fin de 1792, ce n'est pas contre la bourgeoisie, même la plus riche, que les ouvriers marseillais sont animés; c'est contre l'arbitraire des ministres; c'est contre l'insolence des nobles de Provence et le despotisme des prêtres. [...] Et comme la classe bourgeoise réclame la liberté politique, l'humiliation des privilégiés et une gestion mieux contrôlée des ressources publiques, l'ardeur révolutionnaire des ouvriers marseillais se confond avec l'ambition révolutionnaire de la bourgeoisie marseillaise [1]. »

Et que peut aux notables assemblés proclamer Mirabeau, considérant cette union sacrée de l'ardeur et de l'ambition contre le féodalisme, sinon que

> « chacun de nous, s'il n'est indifférent au bien public, a dû chercher dans ses lumières et dans son cœur les moyens de faire triompher la paix, au milieu des dissentions qui nous agitent. [Car] malgré la prodigieuse distance qui sépare les hauts

---

1. Jaurès, *op. cit.*, tome I, chap. 1, § 3, p. 134.

bourgeois vingt fois millionnaires de l'ouvrier du
port ou de la harengère [1] »,

le bien public est à l'ordre du jour, idéal fascinant,
quelque peu mystificateur, mais unanimement antiféodal et pleinement révolutionnaire.

Ainsi, c'est un intérêt commun à tous qui exige la
libération de l'économie et la distribution de l'activité
économique à chacun des membres de la société : chaque individu peut en toute liberté jeter ses forces dans
la concurrence; l'armateur Georges Roux, moderne et
richissime Jacques Cœur, et la harengère y ont un
droit égal, et la félicité à laquelle tous deux aspirent
est ce bien public, arraché pour tous deux à la perversité féodaliste des insultants privilèges et des seigneurs
narquois.

Et que dire du type de suffrage censitaire instauré
par la bourgeoisie des Georges Roux pour exclure du
pouvoir, sans heurter ce précieux soutien de l'antiféodalisme, le peuple des journaliers et des harengères, —
qu'en dire, sinon que cette invention résout la contradiction de fait entre les intérêts des législateurs bourgeois et ceux du petit peuple, tandis qu'elle proroge la
communauté de droit de leurs aspirations et de leur
idéal ? Et la distinction pas très convaincante établie
par Sieyès le 20 juillet 1789, reconduite aussi le 7 sep-
tembre, entre citoyens actifs et citoyens passifs, n'émeut
personne; « nul dans l'Assemblée, nul dans le pays »,
s'étonne Jaurès [2], n'élève alors la voix. Il nous est
éclairant de comprendre pourquoi ce mutisme, qui réalise dans les faits la nécessité et l'ambiguité de l'intérêt
commun.

---

1. JAURÈS, *op. cit.*, p. 135.
2. JAURÈS, *op. cit.*, tome I, chap. 4, § 1, p. 591. Pour
le discours de SIEYÈS, voir *Archives Parlementaires*, tome VIII,
p. 256.

« Tous les habitants d'un pays doivent y jouir des droits de citoyen passif », dit Sieyès : tous ceux qui se proclament citoyens, tous ceux qui, puisque le tiers état est toute la nation, peuvent en lui appartenant devenir membres d'une nation libre et arrachée au marasme féodaliste, tous ceux-là jouissent en commun de ses avantages, et se voient distribuer par elle une part égale du même bien public; « tous ont droit à la protection de leur personne, de leur propriété, de leur liberté, etc. », c'est-à-dire que l'individualité, la propriété et la liberté sont les conditions impératives et absolues (le reste étant simple « etc. ») de l'appartenance au corps social et de la participation au bien public (en effet une circulation libre et proportionnellement distribuée ne peut s'organiser que par rapport à des individus, à des biens localisés et à des activités économiques déterminées).

Mais c'est justement le contenu de ces biens et de ces activités qui différenciera les individus dans leur relation au bien public. Car si tous en jouissent au même titre de façon passive, il n'en reste pas moins que tous n'y contribuent pas de la même façon et, partant, n'y prennent pas la même part active :

> « mais tous n'ont pas droit à prendre une part active dans la formation des pouvoirs publics; tous ne sont pas citoyens actifs. Les femmes, du moins dans l'état actuel, les enfants, les étrangers, ceux encore qui ne contribueraient en rien à soutenir l'établissement public ne doivent point influer activement sur la chose publique ».

Ce bien, cet intérêt qui demeurent communs tant qu'il ne s'agit que d'une distribution des avantages sociaux, se particularisent et voient se restreindre leur extension, dès qu'intervient le critère de la formation des richesses.

C'est que ces richesses ne peuvent se former comme telles et connaître leur développement naturel, que sous le régime de cette protection dont jouissent passivement et *a priori* tous ceux qui, producteurs ou consommateurs, ont une attitude déterminante dans leur formation. Tout passif que peut être ce régime pour les membres du corps social, il constitue l'organisation élémentaire qui réglera les rapports de production dans l'échange des richesses, donc, les relations d'activité des citoyens les plus dynamiques. Le bien public semble ici la condition de possibilité de l'enrichissement de quelques-uns : et cela de la même façon que l'égalité des chances et des libertés constitue la condition absolue de la différenciation concurrentielle des entreprises, le meilleur pouvant alors gagner tout naturellement, à proportion de ses mérites.

Ici encore, la distribution des richesses précède leur formation, et la citoyenneté de tous est la base de l'activité civique de quelques-uns : dans les deux cas joue le modèle de cette répartition première que constitue le droit de chacun à la protection publique. Si les uns peuvent jouir de ce qu'ils ne sont pas censés contribuer eux-mêmes à produire, c'est qu'en retour de cette promesse, et avant sa réalisation, ils doivent organiser le corps économique de façon que chaque membre s'y puisse également reconnaître. La passivité préalable de tous les citoyens, sans distinction de classe et d'attitude économique, est le support de tous les échanges sociaux, la substance même du libéralisme : tous et toutes leurs richesses sont disponibles.

La distribution des rôles sociaux ne semble-t-elle pas ici prévaloir sur les rapports de production fondamentaux que sont l'activité et la réussite économique ? La citoyenneté n'est-elle pas un effet secondaire, à la comparer avec l'efficacité productive qui fait actifs les citoyens rentables à l'économie nationale ?

Non : ce social-là n'est pas séparable des déterminations les plus profondes de l'économique. Que tous les membres de la communauté aient droit à jouir du bien public, signifie que la réalisation de ce bien est possible, et que ceux qui y jetteront toutes leurs forces pourront compter, quels qu'ils soient, sur la jouissance qu'ils en tireront. Ce qui revient en quelque sorte pour l'Etat à investir dans l'entreprise de la prospérité nationale, en obligeant d'avance toute forme de contribution à cette entreprise, en garantissant *a priori* aux citoyens la libre disposition de la richesse qu'ils auront su créer. C'est seulement *a posteriori,* une fois l'ouvrage réalisé, une fois la récolte moissonnée et les marchandises vendues, que l'on opérera la détermination de savoir qui a été actif et qui ne l'a pas été : d'où le critère de la quantité d'impôts payée par chacun, discriminante pour cela seul qu'elle est calculée sur l'exercice déjà accompli, sur les rémunérations déjà touchées. L'Etat cherche ainsi à intéresser quiconque à la prospérité nationale. D'où les conditions identiques qu'il institue pour tous. Et l'intérêt suscité de la sorte par l'Etat ne peut être que commun, puisque n'importe quelle activité peut le valoir à n'importe quel membre de la communauté économique.

Nous concevrons donc le fonctionnement du bien public distribué à l'ensemble des forces productives, sur le modèle de la société par actions : tout le monde peut y participer, et tout le monde bénéficie de son activité, si elle entreprend des ouvrages d'intérêt général, cela sans être même obligé d'y avoir soi-même des actions.

Pour les idéologues bourgeois révolutionnaires, cette communauté objective des chances d'y prendre part, due à la liberté d'entreprise, est une première condition du bien public; la communauté de jouissance qui est le pendant de la communauté des chances, suffit à constituer la deuxième de ces conditions, simultanée à la première; c'est en effet parce que l'ouvrage réalisé sera d'in-

térêt public, que chacun pourra y prendre une part et
un intérêt personnels. Le privé est ici conçu en totale
allégeance à l'égard du public, il est au public ce
qu'est le membre au corps, organe indispensable, mais
encore plus, incapable de subsister par lui-même. Et
de la même façon que l'on ne saurait concevoir un
organisme sans la totalité de ses organes, tout en admet-
tant l'atrophie éventuelle de l'un ou de l'autre, non vital,
de ces derniers, de même ne saurait-on envisager le
bien public sans sa distribution intégrale à tous les
membres du corps social, certains fussent-ils, par leur
défaut de productivité, voués à l'inaction. « Tous peuvent jouir des avantages de la société, mais ceux-là seuls
qui contribuent à l'établissement public sont comme
les vrais actionnaires de la grande entreprise sociale.
Eux seuls sont les véritables citoyens actifs, les véritables membres de l'association. » Sieyès fait donc jouer
à plein le modèle de la société par actions, aussi sug-
gestif qu'opératoire pour permettre de penser la distribution du bien public.

Et comment en effet la bourgeoisie révolutionnaire
n'eût-elle pas conçu l'intérêt public et la part à y
prendre, sur le modèle de ces intérêts et de ces parts
qu'offraient depuis quelque temps les sociétés anonymes, aux entrepreneurs audacieux ? Alors que la
base de la société d'Ancien Régime était le privilège,
c'est-à-dire l'inféodation du public au lignage privé,
la base de la société anonyme par actions est la contribution du privé au public. Là où le privilège d'un seul
devait être publiquement reconnu et faire force de loi,
l'action privée se fait ici discrète, sans limites pourvu
qu'elle reste anonyme. Chaque actionnaire travaille en
particulier à un bien public dont il perçoit l'intérêt.
Et il y a entre le citoyen passif jouissant du bien public
et le citoyen actif y contribuant, la même différence et
la même parenté qu'entre l'habitant de Paris chez
lequel on amène l'eau courante, et l'actionnaire de la

Compagnie des Eaux, la société la plus dynamique des années quatre-vingts.

Le bien public est anonyme : en profite quiconque, y prend part aussi quiconque; celui qui en profite n'a pour cela aucun titre spécial, et celui qui y prend part a garde de signaler à l'attention du public ses intérêts privés à l'affaire; il en conserve le secret, comme l'exige la liberté d'entreprise. Du reste, les grands détenteurs du capital marchand n'ont nullement le désir de rendre compte de l'intérêt qui les pousse à contribuer à l' « établissement public »; et de la même manière, l'actionnaire de la Compagnie des eaux ne souhaite pas, en publiant son nom et ses titres, montrer à quel point l'intérêt de ses actions est pour lui vital, et justement plus intéressant que la satisfaction de savoir Paris pourvu en eau courante...

Anonymat, donc, à tous les niveaux de ce qui doit être la nouvelle société française, telle est la leçon de ces sociétés anonymes à une société moribonde, règne du privilège personnel, et qui nourrit en transformant ses forces productives, les éléments mêmes de sa destruction. Si un Constantin Périer contribue au bouleversement de cet ancien édifice, c'est tant en fondant, avant la Révolution, la Compagnie des eaux, qu'en utilisant, après, l'énergie de ces eaux pour couler les canons de la République : comme a travaillé cet audacieux entrepreneur à irriguer toute l'activité du Paris moderne par le flux aux mille ressources de la Seine, travaille aussi tout l'esprit bourgeois révolutionnaire, pour faire rayonner partout et pour le bien de tous l'antiféodalisme conquérant, le dynamisme et les ambitieux intérêts du capital marchand. Les contradictions de la société d'Ancien Régime se résolvent partiellement dans la société par actions, et globalement dans la société révolutionnaire. Les actionnaires de l'une et de l'autre sont les négateurs d'un système archaïque, et les maîtres d'un état nouveau des forces,

avantageux à tous du point de vue de cette première
négation. Ces actionnaires sont libres de tout y entreprendre, car ils n'ont personne à léser, tous pouvant
également jouir des fruits de leur ouvrage : la liberté
ici instituée au niveau des échanges et de la concurrence, a pour gages la fraternité de tous les membres
du corps social, incapables de se brimer les uns les
autres dans leurs menées respectives, et l'égalité de
tous dans le bénéfice d'un bien public. Et c'est en étant
sans entraves que l'action intéressée de certains peut
prétendre travailler à l'intérêt de tous.

Là où la bourgeoisie révolutionnaire dit « Fraternité », elle développe la concurrence, qui entre frères
ne saurait nuire aux intérêts de quiconque. Là où
cette bourgeoisie travaille à l'enrichissement des possédants et des notables ambitieux, elle dit « Egalité »;
et de fait, en libérant les assignats au printemps 1790,
et en permettant aux capitalistes de spéculer, c'est
néanmoins à toute la nation que la Constituante offre
de profiter des biens du clergé, dans une complète
égalité de jouissance. Voyons à ce titre la profession
de foi de la bourgeoisie constituante, dans le discours
de Pétion sur les assignats.

> « Aux principes de raison et d'équité se joint
> ici un grand motif d'utilité publique. Les assignats
> ne portant point intérêt, vous allégez le fardeau
> des impôts sous lequel le peuple est écrasé.. Si
> vous remboursez deux milliards, vous déchargez
> la Nation de cent millions de rente. Est-il une
> considération plus puissante, plus propre à tou-
> cher ceux qui s'occupent à soulager les malheurs
> d'une nation si longtemps opprimée ? [1] »

C'est bien de toute la nation qu'il s'agit : la valeur
doit être neutralisée à l'extrême, elle doit pouvoir se

---

1. A la Constituante, le 16 avril 1790, B.N. : Le29 904.

glisser dans tous les échanges et à tous les niveaux de leur effectuation, de telle sorte que la plus petite action puisse recevoir son intérêt, et que même l'inaction économique, telle que la définissait Sieyès, se trouve baignée de ce flot continuel, non monopolisé par les gros porteurs. Les assignats qui n'ont jusqu'alors représenté que des sommes considérables (mille livres) « deviennent nuls pour les besoins journaliers de la vie et pour tous les objets de détail », dit Pétion, c'est-à-dire pour les opérations de la majorité des citoyens. Ces assignats qui méconnaissent le banal et le commun deviennent ainsi un monopole pour les gros porteurs.

Or il faut que toutes les opérations puissent être faites en assignats, que ces derniers pénétrent toutes les strates de l'économie, qu'ils soient le véhicule commun de n'importe quelle transaction, à n'importe quel moment de la circulation. Il suffirait donc, dit Pétion, de les fragmenter, et de les multiplier par la même occasion :

> « Les assignats de cinquante, de trente-six, de vingt-quatre livres entreraient aisément dans toutes les transactions, dans tous les échanges; ils donneraient une très grande activité à la circulation. »

Donc, désir de la part de la bourgeoisie révolutionnaire de généraliser et d'uniformiser un processus type d'échange; elle réalise ce désir en multipliant l'activité d'une circulation qui, touchant tout à la fois, permet que tout conspire au bien public, c'est-à-dire *au fonctionnement régulier et parfaitement contrôlé par le capital marchand des échanges.*

Il apparaît donc d'après ces prises de position, que le thème de l'intérêt général et du bien public vient prendre, pour l'idéologie révolutionnaire, la relève des revendications concernant la liberté de la circulation : il les prolonge et leur donne une nouvelle force.

Le bien public est la représentation la plus large de cette uniformité des échanges que souhaite, pour s'enrichir, le capital marchand. Et c'est cette même représentation qui fonde la possibilité d'un actionnariat généralisé dans lequel, personne n'étant exclu de la concurrence et chacun pouvant bénéficier de l'ouvrage public, le capital marchand porte tous les intérêts et soutient tous les échanges, bien au-delà du champ spécifique de ses propres manœuvres.

La mission « révolutionnaire » du capital marchand apparaît ici comme la libération, que lui seul prétend accomplir, d'une économie où toutes les forces productives restaient comme engorgées dans le système féodaliste. L'objet et le moyen de cette libération, c'est la circulation. C'est elle qu'il est éminemment révolutionnaire de laisser faire et de laisser passer, car du même coup, on laisse se régénérer l'ensemble du corps économique. Et ne verra-t-on pas en 1791 paraître la première édition de l'ouvrage à bien des titres novateur, composé dans les années soixante par feu Duclos, et aussitôt oublié ? Dans cet ouvrage intitulé *Mémoires secrets sur les règnes de Louis XIV et de Louis XV*, l'auteur définit la finance d'un Etat comme la maîtrise de la circulation par la classe productrice : c'est

> « l'art de procurer l'opulence nationale qui exclut également la misère commune et le luxe particulier, l'épuisement des peuples et l'engorgement des richesses dans la moins nombreuse partie de la nation; l'art enfin d'opérer une circulation prompte et facile, qui ferait refluer dans le peuple la totalité de l'argent qu'on y aurait puisé ».

Ce vocabulaire et ce thème apparaissent comme singulièrement à l'avant-garde de la lutte menée par le capital marchand, et l'on conçoit que 1791 les redécouvre pour les vouloir livrer au public, à ce public dont on place alors si haut l'intérêt. Car qu'est le désir de vouloir uniformiser l'opulence, sinon cette exigence propre au libéralisme bourgeois, de faire disparaître toute forme de barrière ou de privilège susceptible de rendre inégale la circulation des marchandises ? La fluidité de cette circulation rendue « prompte et facile », c'est la finalité même de tout l'égalitarisme bourgeois, lequel ne supporte plus que la distribution des richesses soit inversement proportionnelle à leur formation, et qu'on puisse arbitrairement conférer une valeur à autre chose qu'à la richesse produite, préférer l'immobilité d'une terre grevée de cens à la concurrence dynamique des producteurs.

Et nous allons examiner pour finir comment le thème du bien public, si étroitement lié aux aspirations progressistes du capital marchand, est rendu également solidaire du thème du profit individuel, sous la forme du prêt à intérêt. On percevra alors encore plus clairement l'articulation entre intérêt public et intérêt privé, qui fonde le système de la société par actions comme modèle de la société civile.

Dans son ouvrage sur l'intérêt de l'argent, l'abbé Rulié insiste avec emphase sur l'universalité du bénéfice tiré du commerce. Aucune classe, aucune instance économique ou politique n'échappe à l'action salutaire du capital marchand; c'est l'intérêt, c'est le bien de tous que contribue à mettre en œuvre le commerce, pourvu que sa prospérité soit à la mesure de cette vaste entreprise, et que l'intérêt qu'il suscite ainsi puisse librement circuler. C'est donc pour les intérêts des rois, des propriétaires, des ministres des autels, qu'avoue écrire tout à la fois l'abbé Rulié.

> « J'écris pour les intérêts des Rois, dit-il dans son Avant-propos, [car] je traite d'un moyen essentiel pour donner plus d'étendue, d'activité

et de considération au Commerce, dont la prospérité peut élever au plus haut degré possible leur
richesse, leur puissance, leur autorité. »

Universalité du propos : c'est « des Rois » en général
qu'il s'agit, donc du gouvernement et du régime de
n'importe quel Etat, dans n'importe quelles conditions
socio-économiques. Comme le négociant ne connaît
plus de frontières à son expansion, le théoricien du
profit n'en connaît aucune à l'extension de son objet,
tant le commerce est, à la fin du XVIIIe siècle, le véhicule idéal et universel du bien public à une échelle
quasi planétaire. Et après cela, comment ne pas comprendre que la Révolution des bourgeois français
veuille, en libérant le capital marchand de ses anciennes
entraves, annoncer au monde entier le nouveau sens
des mots « liberté », « bien » et « bonheur », faits
désormais pour tous ?

Et cette universalité quelque peu impérialiste, attri-
buée ici aux bienfaits du commerce, et que M. Vanderk
n'eût pas reniée, doit pénétrer avant tout les différentes
strates de la production nationale. L'hommage à Turgot
se combine dès lors à une « ouverture » stratégique en
direction des petits propriétaires paysans :

> « Je combats l'une des causes qui ralentissant le
> mouvement du commerce, ne laisse aux produc-
> tions de la terre qu'un cours faible et une valeur
> médiocre [1]. »

« Ouverture » semblable, à tous les producteurs et
à tous les corps de métiers : « augmenter les capitaux
du commerce, qui augmentant la consommation et la
reproduction, ne peuvent manquer d'accroître aussi le
produit du travail et de l'industrie ». L'énergie du

---

1. Abbé RULIÉ, *op. cit.*, Avant-propos.

capital marchand se transmettant partout en égale proportion et de façon simultanée, l'intérêt de tous est de la laisser se libérer.

A chaque niveau où elle est dispensée, cette énergie est aussitôt redistribuée, intacte, mobile, et partout disponible, aux secteurs les plus éloignés du corps social. Ainsi, ceux qui seront les citoyens passifs de la future société révolutionnaire, en bénéficient au même titre que n'importe quel possédant. Et, la miséricorde aidant, le clergé sera l'organe même de cette distribution, puisqu'il commence par toucher pour son propre compte les intérêts de la prospérité générale, pour en faire par la suite profiter ses protégés.

« Les Ministres des Autels, comme hommes copartageants dans le produit des terres, et comme dispensateurs des biens consacrés à secourir l'indigent, sont doublement intéressés à la consommation et à la grande valeur des récoltes. J'écris donc pour les intérêts de ces Ministres; j'écris donc pour les intérêts de l'indigent : car je m'élève contre l'un des obstacles qui empêchent que l'aisance ne soit commune. »

La Constituante prendra au pied de la lettre cette nécessité de faire passer l'aisance commune jusque dans les zones les plus défavorisées du corps social, et elle l'alléguera au moment de confisquer ses biens à cet organe de transmission des ressources, qu'est l'Eglise : de même que cet ordre n'a rien à craindre, selon Rulié, et même tout à espérer de la fluidité accrue donnée par le commerce libéré à la circulation, de même il ne doit pas se sentir lésé par une mise de ses biens à la disposition du public, ce qui était de toute façon la finalité et la raison même de la propriété ecclésiastique. Curieux retournement, qui se fonde sur l'intérêt exclusif de l'Eglise pour le bien-être de ses protégés, et sur le remplissement intégral par le commerce de cet intérêt : la fluidité de la circulation, et l'abolition corrélative de toute forme de privilège, doit suffire à mettre en accord les déterminations apparemment contradictoires qui séparent les classes. Si l'Eglise est bien l'organe médiateur qu'elle prétend, elle entrera dans le jeu du libéralisme qui, selon les nécessités de l'heure, la laissera ou non disposer de son pouvoir pour organiser les secours aux indigents. Il n'est que de lire, pour comprendre la portée de ce raisonnement, la motion de Talleyrand-Périgord, évêque d'Autun, sur la question des biens ecclésiastiques :

> « le clergé n'est pas propriétaire à l'instar des autres propriétaires, puisque les biens dont il jouit et dont il ne peut disposer ont été donnés non pour l'intérêt des personnes, mais pour le service des fonctions [1] ».

Le privé ne doit donc pas entrer ici en considération pour l'appréciation des droits du clergé à disposer de ses biens : c'est pour remplir des fonctions publiques et des services d'intérêt général, que le clergé s'est vu confier ses droits et ses responsabilités; et le libéralisme bourgeois refuse ici de penser une subversion de cette mission publique par une destination personnelle des revenus qui la soutiennent; c'est en effet le propre du féodalisme que de faire passer la personne avant la fonction, la perception des dîmes avant la distribution des secours matériels et moraux. Et précisément, c'est la tâche de l'antiféodalisme bourgeois que de remettre les choses en place, en rétablissant dans sa vraie fonction le clergé, et en instaurant la contribution nécessaire des intérêts privés à l'intérêt public. Mieux que quiconque, la bourgeoisie constituante peut envisager

---

1. Prononcée le 10 octobre 1789 à la tribune de la Constituante, B.N. : Le29 258.

> « des biens ecclésiastiques rendus à leur véri-
> table destination et appliqués à des établissements
> publics; et sans doute l'Assemblée Nationale
> réunit l'autorité nécessaire pour décréter de sem-
> blables opérations si le bien de l'Etat le
> demande ».

Talleyrand montre par ces mots que l'organisation du
bien public incombe à une autorité publique, et que
des instances privées ne sauraient suppléer à cette
autorité que de façon non personnelle, responsable et
anonyme, à l'instar des actionnaires d'une société.

Ainsi l'intérêt de tous renvoie-t-il plus ou moins
directement au modèle d'un intérêt commun distribué
à chacun dans une circulation sans entraves. Les instances privées participent ou font obstacle à cet intérêt
commun, selon qu'elles l'investissent de leurs forces
et de leurs ambitions, ou qu'elles l'inféodent à leurs
privilèges. En somme, le clergé décimateur est, en tant
que personne féodale, le seul perdant à l'intérêt général.
En tant que fonction de distribution des richesses, il
distribue aussi le bien commun et y participe :

> « L'Eglise est l'assemblée des fidèles et l'assem-
> blée des fidèles, dans un pays catholique, est-elle
> autre chose que la Nation ? [1] »,

dit Talleyrand quelques jours après son premier discours; en somme, il n'est que de faire abstraction de
ce que le privé comporte de personnel, pour trouver en
lui une vocation publique, et le récupérer alors même
qu'on semble l'exclure. Le privé comme tel ne s'oppose
nullement aux aspirations d'uniformisation de la société,

---

1. *Opinion sur la question des biens ecclésiastiques*, prolon-
geant la *Motion...* du 10 octobre, et parue au début novembre
1789. B.N. : Le29 297.

de nivellement des privilèges, que conçoit la bourgeoisie révolutionnaire : il en est au contraire le bénéficiaire, dans la mesure où c'est en se montrant apte à contribuer au bien public, qu'il devient le plus représentatif et aussi le meilleur garant de l'intérêt général; l'Eglise est dès lors censée s'identifier parfaitement à cet intérêt général qui la dépouille de ses biens, elle continuera à remplir sa mission, pour laquelle ces biens lui avaient été confiés, et pour laquelle ils lui sont maintenant retirés, sans que son zèle pour ses fonctions s'en ressente. On pensera ici à un raisonnement semblable que nous avions trouvé dans la pièce de Pigault-Lebrun, et que nous avions analysé au chapitre III de cette étude : M. de Verneuil est, comme vient de l'être l'Eglise, censé s'accommoder à merveille du passage de tous ses biens à ses enfants, il en a même l'initiative, alors que l'ignoble comte de Préval est contraint de fuir le royaume pour avoir voulu empêcher ce legs et la reconnaissance préalable des héritiers. Ce que le privilège avait d'insupportable, c'était bien l'arbitraire de ses prérogatives, et nullement son caractère privé, par ailleurs appelé aux plus hautes responsabilités dans la future société libérale.

Rien ne doit donc gêner l'action des négociants, ces champions de l'entreprise privée et de l'intérêt public : telle semble être la leçon de cette « ouverture » que prétend faire à toutes les classes la bourgeoisie révolutionnaire, et que l'Avant-propos de l'abbé Rulié a su formuler dans toute son ampleur. On est même prêt à élaborer des raisonnements d'une dialectique parfois bien spécieuse, tels ceux de l'évêque d'Autun, pour résoudre le problème des intérêts minoritaires, pour les assimiler, tout en ne les brimant point, à celui de la nation; ce n'est ni délicat ni sophistique, mais nécessaire, de vouloir alors rendre compte par un intérêt d'une spoliation. L'argent a si peu d'odeur pour cette bourgeoisie mercantile de 89, qu'elle voudrait persuader même ses victimes de ce que le passage de tous leurs biens à la nation ne doit en rien les émouvoir, et que cette richesse est aussi bien dans les coffres de l'Etat que dans la poche de quelques gras abbés.

Ils sont donc, ces négociants, aussi indispensables au bien commun qu'isolés, dans leurs profits, du reste des producteurs. Ils sont uniques, ils forment, dit Rulié, « une classe particulière d'hommes [1] », alors même qu'ils sont universels.

Comment coexistent en leur place l'universel et le particulier ? De la même façon que coexistent, dans la société par actions, l'anonyme conjonction des intérêts privés, et la participation individuelle à un ouvrage collectif. Et c'est, nous l'avons vu, de cette façon que coexisteront aussi, dans la société révolutionnaire, la commune jouissance du bien public et la discrimination économique à l'égard de la contribution privée à ce bien. Et ici, rappelons-le-nous, joue le modèle déjà élaboré par Turgot, du fonctionnement monétaire et de la disponibilité de l'argent. Les avances particulières doivent soutenir une circulation universelle et uniforme, le capital marchand remplissant précisément la double fonction d'alimenter cette circulation, et d'y puiser sa propre énergie. Certes l'argent, flux neutre et disponible, est-il d'une limpidité proprement cristalline, et parfaitement transparent aux échanges. Mais il doit être avancé par des mains bien peu candides, celles des détenteurs de capitaux, qui en même temps que leur numéraire, investissent tous leurs espoirs intimes d'enrichissement, et les plus privés de leurs intérêts. C'est à cette condition, à savoir qu'on leur laisse faire ce qui les avantage en particulier, que les capitalistes laisseront à leur tour passer leur richesse à travers tout le circuit des échanges. Le négociant, et Sedaine nous l'a bien indiqué, se met tout entier dans son négoce : il y va de ses biens les plus intimes, de son honneur, de sa vie;

---

1. Abbé Rulié, *op. cit.*, Avant-propos.

qu'on relise à ce titre *César Birotteau,* où Balzac montre à merveille ce qu'est l'enjeu personnel de l'entreprise commerciale. Le privé-anonyme sur lequel se fonde l'établissement public de la société bourgeoise, est dès lors l'exacte résultante de cet enjeu personnel mais secret, et de la vocation universelle et rendue publique, qui caractérisent simultanément l'action du capital marchand.

Ainsi, il importe de mesurer le poids de l'intérêt privé dans la part prise par le négociant à l'établissement public, c'est-à-dire à l'expansion économique de la société tout entière. Ce poids pourrait en effet donner déjà la mesure d'un autre poids, bien plus directement ressenti, celui des institutions que se donnera la société bourgeoise révolutionnaire.

En revendiquant après Turgot le droit pour le commerçant de prêter à intérêt, les libéraux de l'Ancien Régime finissant donnent la teneur de cette implication du privé dans le public, du particulier dans l'universel : la circulation qui irrigue tous les organes du corps économique, ne peut être alimentée que si les capitaux y trouvent, en plus de la perspective d'un enrichissement, un intérêt immédiat. Cet intérêt est purement privé, il est comme le gage donné par le public au privé qui veut bien lui faire confiance et jeter en lui toutes ses forces. Et ces deux modes de la participation active des négociants au bien commun, que sont la confiance dans l'intérêt général et l'exigence privée immédiate d'un gage, sont toujours étroitement liés dans la pensée des libéraux qui, comme l'abbé Rulié, défendent la liberté du prêt à intérêt :

> « il s'agit de savoir si aujourd'hui que le tiers, au moins, des habitants de la terre ne subsistent que par le commerce, ils ont besoin qu'on permette l'intérêt de l'argent, oui ou non [1] ».

---

1. Abbé RULIÉ, *op. cit.,* chap. XI.

Notons bien que ce sont les habitants de la planète qui éprouvent ici le besoin de libérer pour les commerçants le droit de prêter à intérêt ! Ce n'est même pas l'armateur marseillais, ce n'est même pas le filateur normand, qui doivent se charger de cette revendication, mais l'humanité en général, le bon sauvage vendu comme esclave par cet armateur, l'ouvrière misérable des cotonneries indiennes qu'exploite ce filateur. On voit à quel point la vocation universaliste du capital marchand se combine ici étroitement avec la recherche la plus individualiste du profit privé : à en oublier la différence entre commerçant et producteurs concernés, voire exploités par le commerce; à en perdre le sens des différences de classe. Voilà comment les négociants peuvent être à la fois une « classe particulière d'hommes », selon Rulié, et représenter, au sens le plus fort que pourra prendre ce terme après la convocation des Etats Généraux, l'intérêt général d'une humanité sans limites.

> « Les négociants, classe particulière d'hommes, dont l'utilité est commune à toutes les nations (...) ne doivent former des vœux que pour les ressources et la liberté du commerce. J'écris donc pour les intérêts des négociants, car j'insiste sur le moyen d'ouvrir une infinité de bourses qui sont fermées aux besoins du commerce, et de rendre cette profession aussi respectable qu'elle est nécessaire », dit l'abbé Rulié [1].

Communauté, infinité et nécessité conspirent ici aux besoins d'une classe particulière : c'est tout le sens et toute la philosophie de la Révolution française.

Et c'est à la faveur d'une pareille dynamique de l'intérêt commun, que Mirabeau a pu appeler à « faire triompher la paix au milieu des dissensions... », et à

---

1. Abbé RULIÉ, *op. cit.*, Avant-propos.

unir, malgré elles, « tous les Citoyens, tous les intérêts, tous les cœurs [1] ».

> « On vit bien, à Marseille et en Provence, cette unanimité ardente du Tiers Etat, bourgeois et ouvriers, riches et pauvres, dans les jours orageux qui précédèrent la Révolution, quand Mirabeau, aux Etats de Provence, entra en lutte contre la noblesse qui l'excluait. Les bouquetières embrassaient le tribun et les banquiers l'acclamaient [2]. »

L'idéologie bourgeoise se justifiait devant l'Histoire. Conclusion : le négoce est la forme de profit la plus active de l'Ancien Régime finissant, il apporte à tous les moyens de participer à la prospérité commune, il organise le bien public dans tous les domaines du corps socio-économique.

Il n'est que de traduire ces mots en d'autres, dans la conjonction politique de la Révolution, pour établir que la petite production indépendante est la force la plus progressiste de ces années de crise, qu'elle offre à tous la possibilité de briser les cadres du féodalisme, et qu'elle organisera pour tous, et dans toute la société, l'instauration de nouveaux rapports socio-politiques.

Ceux qui se trouveront pris avec la libre production (et ses représentants bourgeois les plus directs) dans le tourbillon de la lutte révolutionnaire, seront déterminés par le sens historique de son action, et devront apporter à cette dernière un soutien parfois contradictoire avec leurs intérêts propres. La dynamique de l'intérêt commun et du bien public, doublement nécessaire aux mobiles mêmes de l'antiféodalisme et à la stratégie d'ouverture de la bourgeoisie, exigera cette conjonction d'intérêts tant que la Révolution n'aura pas abouti à

---

1. MIRABEAU, discours du 30 janvier 1789 cité.
2. JAURÈS, *op. cité*, tome I, chap. 1, § 3, pp. 135-136.

un positif changement de régime. Et c'est la lutte entre la Montagne et la Gironde qui inaugurera une phase plus complexe, où se développeront les antagonismes jusque-là contenus; la fureur avec laquelle ils se libéreront alors donne, s'il en est encore besoin, la mesure de leur intensité et de la puissance unitaire qui a su les contenir.

Le thème du bien public a donc constitué le lieu précis de ces antagonismes et de leur dépassement révolutionnaire, car il en éprouvait à la fois la résistance et l'énergie, l'irréductibilité et la fécondité historique. Et il leur fallait être en partie irréductibles, pour susciter une nécessité d'union encore plus impérative : plus il y avait d'antagonismes entre l'armateur et la harengère, plus victorieuse était leur unité devant le féodalisme, plus elle montrait que la lutte contre l'Ancien Régime l'emportait sur tout le reste. Et du point de vue de la stratégie qui allait être celle des dirigeants politiques de la Révolution, c'est dans la mesure où l'union des forces antiféodales avait pour le peuple des inconvénients regrettables, que l'on devait découvrir des raisons de ne la lui faire point regretter : ces dernières étaient des raisons plus hautes que les premières, et de cette justification, l'union tirait, elle, une nouvelle raison d'être.

> « Femmes de Marseille, ne regrettez pas les fleurs dont vous orniez, en l'honneur de Mirabeau, les splendides équipages bourgeois, car ces équipages, un moment, ont porté la Révolution [1]. »

Comment ne pas, dès lors, se souvenir de ce qui, en décembre 1784, paraissait signé de Kant dans la *Berlinische Monatsschrift,* sous le titre de *Was ist Aufklärung ?,* et où l'auteur tentait en quelques pages de

---

1. Jaurès, *op. cit.,* tome I, chap. 1, § 3, p. 136.

définir le sens du mouvement des Lumières ? Il écrivait alors :

> « Or il y a pour maintes affaires qui concourent à l'intérêt de la communauté un certain mécanisme qui est nécessaire et par le moyen duquel quelques membres de la communauté doivent simplement se comporter passivement afin d'être tournés, par le gouvernement, grâce à une unanimité artificielle, vers des fins publiques ou du moins pour être empêchés de détruire ces fins [1]. »

Le « mécanisme » dont parle Kant, qu'est-ce d'autre ici que le système régissant tout à la fois les investissements du capital marchand dans la circulation générale, le rôle des actions privées dans la société anonyme, et la part des citoyens actifs dans l'établissement d'une prospérité dont jouit tout le monde ? Ce que Kant entend ici par « mécanisme », n'est-ce pas en effet la dialectique même de la poussée antiféodaliste, où intérêts privés et intérêt général, étroitement et révolutionnairement imbriqués les uns dans les autres, ne cessent de se relayer dans le rôle de détermination historique fondamentale ? Les intérêts privés de la bourgeoisie mercantile n'apparaissent universels que s'ils sont dominants, mais ils ne sont dominants que s'ils ont eux-mêmes assez d'énergie pour s'imposer à d'autres intérêts. C'est au privé de faire la preuve de son aptitude à devenir public et d'intérêt général : voilà la teneur du « mécanisme » analysé par Kant. D'où la nécessité d'une « unanimité artificielle » qui soit le moyen pour le particulier de s'imposer en tant qu'universel à des particuliers concurrents, mais moins dynamiques. « Unanimité », car acceptation générale d'une seule loi, celle de l'antiféodalisme, où tous se retrouvent. Mais « unani-

---

1. KANT : *Was ist Aufklärung ?*, traduction S. Piobetta, éditions Gonthier, p. 49.

mité artificielle », puisque cette loi reconnue l'est aussi comme la loi d'un intérêt privé dominant : et plus il y a là d'artifice, plus la légalité de la loi est unanimement reconnue et éprouvée, chacun acceptant de se plier à une loi qui n'est pas la sienne propre, pour ce qu'elle a d'avantages universels.

La reconnaissance de l'intérêt commun passe donc par une discrimination concurrentielle d'intérêts particuliers, dont le plus puissant, et par conséquent le plus armé pour faire triompher sa singularité, est reçu à l'unanimité comme intérêt commun auquel il faudra faire l'effort de se plier, fût-ce artificiellement.

C'est de la sorte que l'intérêt de la bourgeoisie actionnaire de l'établissement public, devient le point de référence de toutes les autres classes, lesquelles lui confient en commun la direction de leurs propres intérêts antiféodalistes.

> « Là il n'est donc pas permis de raisonner; il s'agit d'obéir », dit Kant[1].

Et c'est précisément tout le raisonnement de l'intérêt commun, du bien public, que cette négation des raisons privées par un intérêt unique dominant qui, n'étant dominant que pour autant qu'il est privé, n'est universel et commun que pour autant qu'il est unique.

---

1. *Op. cité*, p. 49.

CONCLUSION

Nous avons, tout au long de cette étude, essayé de mettre en ordre les éléments qui déterminent, pendant plusieurs années, la possibilité pour la bourgeoisie antiféodale de prendre le pouvoir. C'est en effet en comprenant comment elle veut affirmer sa supériorité économique, que nous pourrons envisager les modalités de son affirmation politique et institutionnelle.

La manière dont la bourgeoisie prétend s'approprier les rênes de l'économie, et dépouiller les classes féodalistes de leur richesse comme de leurs privilèges, détermine d'une part son rapport de domination à l'égard des autres classes révolutionnaires, et d'autre part, la manière dont elle s'appropriera les rênes du pouvoir, une fois les anciennes autorités évincées par elle. Ce qui se joue, dans ce bouillonnement d'aspirations, d'intérêts, de visées ambitieuses, auquel la bourgeoisie donne un sens et un ton, les siens propres, c'est la collusion étonnante de l'antiféodalisme, la déconcertante et victorieuse union de l'armateur avec la harengère.

Recomposons maintenant *a posteriori* un système de l'esprit bourgeois, où s'ordonnent logiquement tous les moments de la conscience bourgeoise, et où prenne sens par référence aux intérêts de la classe révolutionnaire dominante, sa lutte pour un nouvel ordre social. En examinant la place que prend dans ce système, l'appropriation des richesses et du pouvoir, nous retrouverons sous la forme d'un idéal spécifique à l'esprit bourgeois, le principe que font leur toutes les classes antiféodalistes, et qui leur garantit que, passives ou actives, elles jouiront d'un bien commun dans la société qu'elles bâtissent. Idéal donnant corps au système, fin en vue de laquelle se constitue l'esprit bourgeois tout entier, l'appropriation est aussi le mobile de bien des ardeurs et de bien des luttes chez le peuple. Elle est dès lors le nœud des rapports de la bourgeoisie et du peuple, elle confronte la fin de celle-là et les mobiles de celui-ci dans une même lutte révolutionnaire, et idéal essentiel à l'esprit bourgeois, elle rend du même coup essentielle sa domination sur l'esprit de la Révolution. Car l'appropriation, moment idéal et suprême de l'esprit bourgeois, est aussi celui où ce dernier s'ouvre sur autre chose que lui-même : la lutte populaire.

Pendant trente ans, la bourgeoisie détentrice du capital marchand s'est donné les moyens de contrôler l'économie. Elle a travaillé sans relâche à se libérer des entraves où ses forces étaient retenues prisonnières, à conquérir sa majorité en se débarrassant de la tutelle, naguère protectrice, du féodalisme. En cela, elle ne faisait que remplir le projet qu'elle s'était fixé sous la forme des Lumières :

> « La sortie de l'homme de sa Minorité, dont il est lui-même responsable [1]. »

Mineure, la bourgeoisie l'était dans le carcan de l'Ancien Régime féodaliste; et responsable, aussi, puisqu'elle y avait réuni les forces suffisantes pour assumer la tutelle de sa propre expansion. De même que la minorité de l'humanité s'enracinait pour Kant

> « non dans un défaut de l'entendement, mais dans un manque de décision et de courage de s'en servir sans la direction d'autrui [2] »,

---

1. KANT : *Was ist Aufklärung ?*, Gonthier, p. 46.
2. *Ibidem,* p. 46.

de même, la minorité de la bourgeoisie trouvait sa cause non dans un défaut de sa puissance économique, mais dans un manque d'initiative et de détermination pour en disposer selon ses intérêts exclusifs, et en arracher la direction aux instances féodalistes. Cette initiative et cette détermination, ce « courage », la bourgeoisie devait les puiser à deux sources :

— les brimades, de plus en plus durement ressenties par elle, que lui infligeait à coups répétés et d'une violence croissante, le féodalisme;

— l'ardeur et l'énergie de la lutte populaire.

La prise en main de l'action antiféodale par la bourgeoisie révolutionnaire, reposait donc sur l'articulation de deux données fondamentales :

— la nécessité urgente pour le capital de se libérer du carcan féodaliste;

— la possibilité qui s'offrait à lui, d'une alliance dans ce sens avec les masses laborieuses, victimes misérables de ce même système qui ne le favorisait plus.

Des ambitions qui soutiendraient alors la bourgeoisie pour entreprendre cette lutte et conclure cette alliance, allaient dépendre la tournure et le sort de la révolution antiféodale. Pour avoir le « courage » de lutter aux côtés du peuple, la bourgeoisie devait compter réaliser par cette lutte ses aspirations les plus hautes. En retour, il lui fallait convaincre le peuple de la validité de ces aspirations et de leur légitimité, pour qu'elles constituassent la fin et le résultat inévitables de la lutte, quels que fussent les mobiles de l'ardeur populaire.

Il convenait donc que l'idéal, par référence auquel la bourgeoisie travaillait à sa fin révolutionnaire, fût donné à partager au peuple; tout au moins devait-il lui être rendu sensible, et nourrir sa combativité. L'efficacité de cette ouverture donnait en effet dès lors, la dimension de l'aptitude spécifique de la bourgeoisie à être classe dominante, dans la Révolution comme dans la société future. Ce qu'elle ferait entendre au peuple de ses vues les plus intimes, remplirait pour la bourgeoisie cette fin autour de laquelle s'organisaient les destinées de tout un siècle : la conduite de la Révolution.

Ainsi donc, en s'ouvrant à des alliés qu'elle prenait d'ores et déjà en tutelle — eux étaient bien loin de parvenir à leur majorité ! —, la bourgeoisie révolutionnaire ne faisait que réinvestir la nécessité qu'elle portait au sein d'elle-même comme sa détermination la plus profonde, à savoir sa vocation de classe dominante. Et toutes les visées de l'esprit bourgeois n'eussent guère eu de sens par rapport à sa fin révolutionnaire, si elles ne se fussent à tout moment fondées sur cette capacité de dominer d'autres visées, de s'imposer à la Révolution tout entière.

En somme, c'était toujours pour soi que travaillait l'esprit bourgeois, lorsqu'il s'ouvrait sur d'autres antiféodalismes, et il lui était aussi essentiel d'être antiféodalisme dominant que d'être seulement antiféodalisme. De même que l'esprit bourgeois se donnait pour devise, dans le langage des Lumières « *Sapere aude !* Aie le courage de te servir de ton propre entendement [1] », de même il prétendait à une tout aussi sublime audace, celle qu'exalterait bientôt Danton, pour se donner les moyens de gouverner et de se poser en maître : en aspirant à libérer ses talents et sa puissance, afin de pouvoir s'en servir à son gré, l'esprit bourgeois liait étroitement, et pour son propre compte, antiféodalisme et domination. Car cette puissance que brimait le féodalisme devait, sitôt qu'elle pourrait s'exercer, tout dominer.

Ainsi, les grands thèmes de la liberté et du bien commun n'auraient désormais de sens pour l'esprit bour-

---

1. KANT, *ibidem*, p. 46.

geois, que s'ils signifiaient aussi l'ascendant de la classe pour laquelle cette liberté libérait de grands moyens, et ce bien commun, de grands bénéfices. De même qu'il lui fallait bien des lumières pour revendiquer la liberté « de faire un usage public de sa raison dans tous les domaines [1] », de même l'esprit bourgeois devait-il avoir bien des ressources pour prétendre leur ouvrir tout le circuit des échanges, et en irriguer tous les secteurs de l'économie. Cette libération espérée était déjà une domination, cette disposition de soi-même, une appropriation. La bourgeoisie ne travaillait qu'à sa suprématie, sitôt qu'elle travaillait à son indépendance. Pour faire sa propre conquête, elle devait conquérir la société tout entière.

Dès lors, puisque pour l'esprit bourgeois il s'agissait d'être majeur, dans l'antiféodalisme, aussi bien que majoritaire, toutes ses revendications prenaient le sens d'une ambition généralisée, possessive, accapareuse. La bourgeoisie nantie faisait de l'antiféodalisme défensif d'une classe brimée, l'offensive révolutionnaire d'une force aux prétentions irrésistibles. Et cette surenchère d'assauts, d'ambitions tenaces, cette transformation immédiate par l'esprit bourgeois, de la jouissance en accaparement et de la libération en suprématie, c'est cela même que nous avons voulu cerner sous le nom d'idéal d'appropriation.

La bourgeoisie concevait des espoirs, formulait des options, professait des thèmes tels qu'ils dussent forcément remplir une fonction d'agressivité dans les termes d'une simple doléance. En dénonçant les abus de l'Ancien Régime, l'esprit bourgeois entendait bien plus que cette dénégation : il travaillait pour la suprématie de sa classe, il signifiait, de la manière la plus péremptoirement affirmative, que la bourgeoisie voulait et pou-

---

1. KANT : *Op. cité*, p. 48.

vait vaincre. L'esprit bourgeois ne pouvait pas se vouloir autrement que dictant sa loi, et le travail qu'il opérait était un travail de conquête : à la faveur de la suprématie matérielle du capital marchand, les menées d'émancipation de la bourgeoisie viraient à la lutte pour le pouvoir. Et au fur et à mesure que l'esprit bourgeois éprouvait ainsi son propre antiféodalisme à sa capacité de remplir la vocation dominatrice du capital en général, il se formait au cœur même de cette confrontation, un filtre, passant toutes les expressions de l'antiféodalisme au critère de l'agressivité possessive qu'impliquait l'expansion capitaliste.

Toute l'ardeur revendicative de la bourgeoisie révolutionnaire se cristallisait de la sorte en une affirmation dominatrice de sa puissance : et par là même, cette ardeur faisait signe à toutes les autres, qu'elle prétendait désormais dominer. Les ambitions bourgeoises ne découvraient l'ardeur populaire que pour lui imposer leur propre orientation. Au moment même où l'antiféodalisme bourgeois trouvait, de par son âpreté à détruire l'ancien système, des alliés complaisants, il se donnait en eux des sujets à dominer et des intérêts à contenir.

La Révolution devait être le moment et le lieu où s'explicitassent les contradictions de ce qu'on pouvait encore, avant elle, appeler l'esprit bourgeois. Les aspirations et les intérêts du capital marchand, ceux de la production entravée par les structures féodales et par la hausse, constituaient à la veille de 1789 l'expression indifférenciée des ambitions de classe de la bourgeoisie. Une idéologie d'appropriation, dont nous avons tenté de décrire les divers modes, reproduisait l'élan de ces enjeux indistincts : « C'étaient de très grandes forces en croissance sur toutes pistes de ce monde... 1 »

---

1. SAINT-JOHN PERSE : *Vents,* I, 3, Paris, Gallimard, 1960, p. 16.

La Révolution seule put prescrire, parmi ces voies ouvertes, celle qui abattrait le féodalisme. Elle imposa des critères nécessaires, des choix cruciaux ou des renoncements, là où l'éveil de la conscience bourgeoise n'avait su encore esquisser qu'un horizon commun : les choix n'étaient pas faits, toutes les fractions de la bourgeoisie pouvaient encore se reconnaître dans une même entreprise,

> « celle des frères qui, nés pour se rendre mutuellement heureux, sont d'accord presque dans leurs dissentiments puisque leur objet est le même et que leurs moyens seuls diffèrent [2] ».

L'épreuve révolutionnaire fut pour la bourgeoisie l'heure où les contradictions n'apparurent plus comme des « dissentiments ». Les contraintes de la lutte firent découvrir à la bourgeoisie les exigences de la stratégie unitaire, et ces dernières, la nécessité du passage révolutionnaire au mode de production capitaliste.

La bourgeoisie antiféodale avait longtemps mêlé aux destinées du capitalisme les derniers atermoiements du capital marchand, sans jamais vraiment exclure les possibilités de compromis qu'il véhiculait. Des dures leçons de la stratégie révolutionnaire, elle dut comprendre ce que ses intérêts et ses aspirations n'avaient point suffi à lui faire paraître : la nécessité de la voie égalitaire excluant le capital marchand et la grande propriété à rente foncière, forces également compromises dans l'ancien système de production. La lutte aux côtés des masses populaires transforma, spécifia les intérêts et les visées de la bourgeoisie; elle en révéla aussi la structure contradictoire, délimitant par-là même ses propres apories, puisque la voie que cette lutte désignait comme seule révolutionnaire, fut celle où la Révolution s'épuisa.

---

2. Mirabeau : Discours du 27 juin 1789.

La présente étude s'achève au point exact où la stratégie unitaire entreprit de transformer ainsi les données qui avaient jusque-là présidé aux développements de la conscience bourgeoise révolutionnaire. La Révolution commençait d'expliciter et d'épuiser les multiples ressources de l'antiféodalisme bourgeois, jusque-là non contraint au choix déchirant d'une voix de passage. A la croisée des chemins qui la menaient depuis un demi-siècle à l'assaut du féodalisme, la classe bourgeoise cessait désormais de penser séparément son propre destin, et affrontait des exigences communes où s'inscrivait l'histoire d'un peuple. La bourgeoisie avait découvert sa vocation révolutionnaire, il lui restait à la réaliser, c'est-à-dire à découvrir celle de ses alliés, et aussi ce qui en elle-même se révélait, à la lumière de la lutte commune, non révolutionnaire. Car aussi féconde qu'elle eût été, la longue maturation que nous avons ici décrite ne pouvait démontrer à la bourgeoisie que la Révolution ne sortirait pas toute casquée de ces idéaux trop simples et trop peu travaillés par les luttes. Au plus intime de l'idéal de bien commun, la toute-puissance des contradictions : voilà ce que l'histoire devait encore démontrer à ces bourgeois impatients. L'histoire : la lutte, « la force des choses ». On vit bientôt qu'il n'avait pas suffi d'ouvrir les voies : « La force des choses nous conduit peut-être à des résultats auxquels nous n'avions point pensé 1. »

---

1. Saint-Just : *Rapport présenté à la Convention au nom des comités de Salut public et de Sûreté générale*, 8 ventôse an II, B.N., 8°Le 38 709, 20 p.

SOURCES ET BIBLIOGRAPHIE

I. Textes étudiés

QUESNAY : Article « Fermier » (1756) de l'*Encyclopédie*;
— Article « Grains » (1757) de l'*Encyclopédie;*
— *Analyse du Tableau économique*, 1758;
— *Maximes générales du gouvernement économique d'un royaume agricole*, 1758;
— *Questions intéressantes sur la population, l'agriculture et le commerce*, 1758;
— In *Œuvres économiques et philosophiques de F. Quesnay*, Paris, Oncken, 1888.

TURGOT : *Œuvres complètes*, édition Schelle, Paris, Alcan, 1919.

DIDEROT : *Entretiens sur le Fils Naturel*, 1757, Paris, Pléiade.

SEDAINE : *Le Philosophe sans le savoir,* drame en cinq actes, 1765, édition par F. Gaiffe, Paris, Hatier, 1929.

BEAUMARCHAIS : *Essai sur le genre dramatique sérieux,* préface à *Eugénie*, drame, 1767, in *Théâtre-Lettres relative à son théâtre*, Paris, *Pléiade*.

CHÉRON : *Le Tartuffe de mœurs*, comédie en cinq actes, 1789.

PIGAULT-LEBRUN : *Charles et Caroline, ou les abus de l'Ancien Régime*, comédie, Paris, 1790.

Abbé RULIÉ et abbé GOUTTES : *Théorie de l'intérêt de l'argent tirée des principes du droit naturel, de*

la théologie et de la politique, contre l'abus de
l'imputation d'usure, 1780, B.N. 8° D 53 145.

KANT : *Was ist Aufklärung ?*, 1784, traduction
S. Pobietta, Paris, Gonthier, 1965.

MIRABEAU : Discours aux Etats de Provence, *Sur la
représentation illégale de la Nation provençale
dans ses Etats actuels et sur la nécessité de
convoquer une Assemblée générale des Trois
Ordres,* 30 janvier 1789, B.N. 8° Lb 39 1034.

SIEYÈS : Discours prononcé à la Constituante le 20 juillet
1789, *Archives parlementaires,* t. VIII, p. 256.

TALLEYRAND-PÉRIGORD : *Motion sur la question des
biens ecclésiastiques,* discours prononcé à la
Constituante le 10 octobre 1789, B.N. 8°
Le 29 258.

— *Opinion sur la question des biens ecclésiastiques,*
discours prononcé à la Constituante, novembre 1789, B.N. Le 29 297.

PÉTION DE VILLENEUVE : *Discours sur les assignats...,*
prononcé à la Constituante le 16 avril 1790,
B.N. 8° Le 29 904, 21 p.

DUCLOS : *Mémoires secrets sur les règnes de Louis XIV
et de Louis XV,* édition posthume par Sau-
treau de Marsyl, 1791, collection particulière.

SADE : *Oxtiern,* pièce représentée à Paris le 22 octobre
1791, in *Œuvres complètes,* Paris, 1967, Cercle du livre précieux, tome XI.

II. Ouvrages consultés

TOCQUEVILLE : *L'Ancien Régime et la Révolution,* 1856,
édition critique par J.-P. Mayer avec introduction de G. Lefebvre, in *Œuvres complètes
d'Alexis de Tocqueville,* Paris, Gallimard,
1952, édition revue, 1964.

Karl MARX : *Le Capital,* traduction J. Roy, Paris, Editions sociales, 1969, 8 vol.

Jean JAURÈS : *Histoire socialiste de la Révolution française,* 1901-1904, édition revue et annotée par A. Soboul, préfacée par E. Labrousse, Paris, Editions sociales, 1968-1973.

Ernest LABROUSSE : *Esquisse du mouvement des prix et des revenus en France au XVIIIe siècle,* Paris, 1933, 2 vol.
— *La crise de l'économie française à la fin de l'Ancien Régime et au début de la Révolution,* Paris, 1944.

Jean BELIN : *L'idée d'utilité sociale et la Révolution française,* Paris, Hermann, 1939.

Georges LEFEBVRE : *Etudes orléanaises,* tome I, *Contribution à l'étude des structures sociales à la fin du XVIIIe siècle,* Paris, 1962.

Albert SOBOUL : *La Civilisation et la Révolution française* tome I, *La crise de l'Ancien Régime,* Paris, Arthaud, 1970.

III. Articles

Albert SOBOUL : « La Communauté rurale française », *La Pensée,* 1957, n° 3. « La Révolution française et la " féodalité " », *Revue historique,* 1968, n° 487.

Colette CAUSIBENS-LASFARGUES : « Le salon de peinture pendant la Révolution française », *Annales historiques de la Révolution française,* n° 164, IV-VI/1961.

Mariusz KUTCZYKOWSKI : « Industrie paysanne et formation du marché national en Pologne au XVIIIe siècle », *Annales E.S.C.,* V-VI/1969.

Régine Robin : « Vers une histoire des idéologies »,
    *Annales historiques de la Révolution fran-
    çaise,* n° 206, X-XII/1971.

C. Prévost : « Littérature et idéologie », *La Nouvelle
    Critique,* n° 57, X/1972.

IV. Comptes rendus

Sur le féodalisme, colloque du Centre d'études et de
    recherches marxistes, avril 1968, Paris, Edi-
    tions sociales, 1971.

TABLE DES MATIÈRES

Achevé d'imprimer le 2 janvier 1976
par la S.N.I. Delmas à Artigues-près-Bordeaux.
N° d'éditeur : 1657.
N° d'imprimeur : 29932.
Dépôt légal : 1er trimestre 1976.